HET

DA VINCI
ENIGMA
TAROT

HET
DA VINCI
ENIGMA
TAROT

CAITLÍN MATTHEWS

Librero

*Dit boek draag ik op aan John, in het jaar dat hij zijn gezichtsvermogen volledig terugkreeg.
Ik hoop dat het plezier van het waarnemen je begrip en ervaring zullen verrijken.*

Oorspronkelijke titel: The Da Vinci Enigma Tarot

© 2005 Librero b.v. (Nederlandstalige editie),
Postbus 72, 5330 AB Kerkdriel
WWW.LIBRERO.NL
© 2005 Eddison Sadd Editions
© 2005 tekst: Caitlín Matthews

Productie Nederlandstalige editie:
Textcase, Hilversum
Vertaling voor Textcase: Anton Havelaar en Fennie Steenhuis

Printed in China

ISBN 90-5764-674-9

INHOUD

INLEIDING

EEN VERKENNING VAN HET RAADSEL

In januari 2005, toen ik dit boek schreef, werd tijdens restauratiewerkzaamheden een geheime kamer ontdekt in het doolhof van gangen en vertrekken van de Santissima Annunziata in Florence. Het ging om niets minder dan de verloren gewaande studio van Leonardo da Vinci, compleet met fresco's. Deze ongelooflijke ontdekking had precies plaats toen de wereld in de ban was van de *Da Vinci Code* en zij maakte alle opwinding nog groter.

Aangezien Leonardo alles wat naar tovenarij zweemde, minachtte en alchemie als 'leugens' bestempelde, weten we niet wat hij van al deze ophef zou vinden. Temidden van koortsachtige esoterische speculaties houdt Leonardo het hoofd gewoonlijk koel en heeft hij veel meer belangstelling voor de mysteries van de kosmos dan voor de Tempelridders of de Heilige Graal. Waarom dan een Da Vinci tarot? En waarom is het een raadsel, een enigma?

Voor mij is tarot geen vorm van 'waarzeggerij', maar een manier om je voor te bereiden op wat gaat komen door de huidige omstandigheden nauwkeurig te ontleden. Leonardo's pragmatisme, zijn aandringen op helder, nauwgezet observeren, zijn wantrouwen tegen gissingen en zijn verlangen via nieuwe wegen de ontdekkingen van de oudheid uit te breiden, zijn voor mij altijd de vereiste eigenschappen van een ziener geweest. Hij had een diepgaande kennis van de ziel en het vermogen op een flexibele manier zijn roeping te volgen. Dit zijn twee zaken die we allemaal moeten verkennen in ons leven en in onze ziel, die voor ons nog steeds een groot raadsel is. Door daaraan zijn grote talent voor kunst en zijn onderzoekende geest toe te voegen, tracht deze tarot te voorzien in een levensboek, een draagbare kunstgalerie en een instrument om je weg te vinden in het leven, met respect voor de macrokosmos waar we deel van uitmaken.

Er is iets ongrijpbaars, iets raadselachtigs aan Leonardo da Vinci wat de wildste speculaties voedt, maar die speculaties zul je niet in deze tarot vinden. Ik heb geprobeerd zijn eigen woorden en beelden te gebruiken en die te laten spreken. Ik heb zelfs ruimte gemaakt voor Leonardo's korte, bijtende vragen. De afbeeldingen op deze kaarten geven een idee van Da Vinci's zeer veelzijdige belangstelling. Ze zijn misschien minder bekend dan de beroemde schilderijen, maar ze zijn niet minder beeldend. Veel ervan bezitten de intimiteit en de bedachtzaamheid van de kunstenaar die alleen voor zichzelf tekent, niet voor een publiek of een beschermheer. Daarom zijn ze meer bespiegelend en geven ze blijk van inzicht.

Toen ik zocht naar de samenhang tussen Da Vinci en de opzet van het tarot, realiseerde ik me dat er qua tijd sprake is van een toevallige overeenkomst in onze levens, want Da Vinci werd geboren in 1452 en ik in 1952. Daarnaast heb ook ik misschien het ongeduld van de generalist om al naar het volgende onderwerp te gaan voor het vorige is afgerond – een soort proces van grote lijnen volgen. Maar verder kunnen we uiteraard op geen enkele manier met elkaar worden vergeleken. Net als destijds voor hem beginnen nu voor mij de ongemakken van de ouderdom te komen, en ik voel ook de toenemende noodzaak iets te scheppen en te bestendigen als nalatenschap. Ik kan niet zeggen hoe hij het gedaan had, maar ik hoop dat zijn geniale geest genoten zou hebben van deze speelse tarot, want ook hij stond niet boven dit soort zaken. In zijn huishoudboekje wordt vermeld *per dire la venture: 6 soldi*, oftewel '6 stuivers betaald voor het voorspellen van de toekomst'.

Deze tarotkaarten volgen zijn nieuwsgierige, indringende blik via zijn eigen woorden en tekeningen voor een beter inzicht in hoe de macrokosmos, de grotere wereld van de eeuwige kosmos, en de microkosmos, de gemaakte wereld waarin wij leven, elkaar ontmoeten en in elkaar opgaan. Da Vinci schreef: 'Het is gemakkelijk om jezelf universeel te maken'. Deze achtenzeventig kaarten vormen een draagbaar aantekenboek om je te helpen de heilige verhoudingen en goddelijke harmonie van de macrokosmos te verkennen, opdat je balans en harmonie in het dagelijks leven kunt vinden.

HET DA VINCI ENIGMA TAROT

Als je een nieuw pak tarotkaarten in handen hebt, wil je er natuurlijk in één keer alles over weten. Maar *Het Da Vinci Enigma Tarot* zal zichzelf in de loop van de tijd aan je onthullen terwijl je ze speelt, ermee oefent, erover leest en ze bestudeert. Zo'n geleidelijke ontvouwing staat haaks op onze verwachtingen in een moderne wereld van 'kant-en-klare verlichting', maar ik verzoek je dringend vast te houden aan een houding van onthaasting en te genieten van de kunst en het patroon die zullen helpen het raadsel van je ziel en haar bestemming te onthullen. De schoonheid van de eenvoud en het meesterschap worden bereikt door voortdurende oefening, net zoals Da Vinci zelf als leerling het vak leerde in de studio van Verrocchio, zijn leermeester. Da Vinci schreef: 'Laten zij, die al bij aanvang van hun onderzoekingen wanhopig zijn geworden, leren zich geduldig te wijden aan onderzoekingen met grote uitkomsten'.

Deel 1 nodigt je uit kennis te maken met Leonardo da Vinci, de meestermagiër van deze tarot, maar ongeduldige lezers komen misschien in de verleiding met deel 2 te beginnen, *Wegwijs*, om de unieke structuur van de kaarten te begrijpen. De delen 3 en 4 geven een overzicht van de betekenis van de kaarten, die het standaardtarot uitbreiden naar andere ontdekkingsgebieden, en deel 5 biedt nieuwe leggingen om met het kaartlezen te oefenen. Om tijdens het oefenen vertrouwd te raken met de kaarten, zijn er verscheidene traditionele leggingen, waar elke kaart in een bepaalde positie ligt. Als je de kaarten wat beter kent, kun je doorgaan naar de Lotlegging, een verhelderende legging die altijd blijft fascineren en steeds nieuwe inzichten biedt. Deze legging gebruikt zowel de voor- als achterkant van de kaarten. Deze legging voor gevorderden zal je blijven boeien en je vermogen tot interpreteren steeds meer ontwikkelen en uitbreiden.

Tot slot wil ik John Matthews bedanken, die met het idee voor deze tarot kwam. We zouden er samen aan schrijven, maar door verplichtingen elders werkte hij aan andere onderwerpen en heb ik alles verder alleen uitgewerkt. Deze ervaring deel ik nu met jou.

CAITLÍN MATTHEWS
Oxford, 28 januari 2005

1

LEONARDO DA VINCI

DISCIPEL VAN DE ERVARING

'U bent in het middelpunt van het universum geplaatst en u bent, beter dan enig ander schepsel in deze wereld, in staat het te observeren. Wij hebben u hemels noch aards gemaakt, sterfelijk noch onsterfelijk. Zo kunt u waardig en uit vrije keuze, als uw eigen schepper en vormgever, uzelf maken tot wat u maar wilt... Wie zou zo'n kameleon niet bewonderen?'

PICO DELLA MIRANDOLA, OVER DE WAARDIGHEID VAN DE MENS

Deze woorden van God aan Adam zijn te lezen als de aanwijzingen van de schepper aan de man die we kennen als Leonardo da Vinci. Da Vinci heeft beslist zijn uiterste best gedaan ernaar te leven. Als veelzijdig genie is hij kunstenaars, wetenschappers en wiskundigen tot inspiratie geweest. Velen hebben over hem geschreven, maar laten we vooral bedenken dat hij zichzelf beschouwde als de *discepolo dell'esperienza*, de 'discipel van de ervaring', zijn ware bron van inspiratie. In plaats van te geloven wat anderen over hem hebben geschreven, kunnen we beter lezen wat hij zelf dacht en geloofde, want zijn onderzoekende geest is via zijn eigen geschriften uit de eerste hand aan ons bekend. Hij hield zijn hele leven aantekenboeken bij waarin hij zijn ideeën, indrukken, schetsen, opmerkingen en plannen schreef. Deze aantekenboeken en losse bladen zijn verspreid over collecties overal ter wereld, maar ze geven blijk van een unieke geest, een zoekende ziel die niet moe werd de wereld te verkennen.

Leonardo da Vinci werd op 15 april 1452 als onwettig kind geboren. Zijn moeder, Caterina, was een plattelandsmeisje. Voor zijn vader Piero da Vinci, een Florentijnse notaris, was hij de eerste zoon. Aanvankelijk kende zijn leven geen van de voordelen die van een goede komaf zijn te verwachten. Hij had weinig onderwijs gevolgd en werd niet opgeleid om zijn vaders beroep uit te oefenen, maar werd leerling van de kunstenaar Andrea del Verrocchio. Hier werden zijn scherpe oog en tekenkunsten al spoedig opgemerkt door Lorenzo de Medici en de zijnen.

Waarschijnlijk hielp Lorenzo de Medici Leonardo ontsnappen aan de problemen van zijn jonge jaren in Florence. In 1476 kon maar net worden voorkomen dat hij wegens homoseksualiteit werd vervolgd en zijn *Aanbidding der koningen* werd niet voltooid. Hij zocht zijn toevlucht bij Ludovico Sforza, de hertog van Milaan. In een buitengewoon brutale brief aan de krijgshaftige Sforza gaf Da Vinci blijk van zijn technische vaardigheden ten aanzien van het bouwen van nieuwe militaire werktuigen en sprak hij pas in laatste instantie over zijn artistieke vermogens. In de zeventien jaar dat hij in Milaan verbleef, kreeg Leonardo's carrière vorm, want bij Sforza kon hij zijn ideeën vrij ontwikkelen.

Leonardo was bevriend met velen uit de *beau monde*, onder wie Botticelli, de lievelingsschilder van de Medici's (Da Vinci vond zijn schilderijen afschuwelijk), en Niccolò Machiavelli, voorvechter van de Renaissance en politiek theoreticus. Hij onderhield bijna geen betrekkingen met andere schilders en botste hevig met Michelangelo. Da Vinci's enorme eigendunk stond geen bewondering voor andere kunstenaars toe. En waar Michelangelo een halve humanist was met de vroomheid van een middeleeuwse christen, was Leonardo's humanisme nuchter en koel pragmatisch. Da Vinci's vriendschap met Machiavelli was gebaseerd op een wederzijdse, empirische observatie van de werking der dingen. Leonardo werd, in zijn laatste levensjaren, alleen geraakt door het werk van de jonge Rafaël.

Na een woelige loopbaan waarin hij voortdurend op zoek was naar nieuwe begunstigers, trad Da Vinci in 1513 in dienst van paus Leo X. Maar in Rome werden zijn anatomische studies door de assistenten die de paus hem ter beschikking stelde, bestempeld als 'toverkunsten'. Leo X verbood hem verder te gaan met zijn werk.

Da Vinci had het geluk zijn loopbaan te ontwikkelen in een relatief liberale periode, maar in de loop van de zestiende eeuw werden de kerkelijke opvattingen over humanisme en wetenschappelijke experimenten steeds bekrompener. Kort daarna werd Leonardo voorgesteld aan de jonge, levenslustige Franse koning Frans I. Die was zo verrukt over Da Vinci dat hij hem uitnodigde in Frankrijk te komen wonen. Da Vinci verhuisde in 1516 naar Frankrijk en stierf in 1519 op 67-jarige leeftijd in Amboise.

EEN MAN VAN DE RENAISSANCE

Leonardo was in alle opzichten een man van de Renaissance. Hij was een *homo universalis* met veelzijdige gaven die hij ontwikkelde en tot uitdrukking bracht. Hij schiep een werkelijk bezielde samenhang tussen disciplines. Maar weinig kunstenaars hebben zo'n gevarieerde en invloedrijke loopbaan gekend. Da Vinci was niet alleen schilder, beeldhouwer en musicus, maar ook ingenieur, opzichter van waterwerken en kanalen, uitvinder, natuurhistoricus, oorspronkelijk denker en filosoof, en tevens een wetenschapstheoreticus. In een wereld waar van wetenschap wordt verwacht dat ze mysteries ontraadselt en de gezondheid van de mens verbetert, is er nog steeds de fascinatie voor Da Vinci's profetische visie van 'dingen die komen'. Zijn belangstelling voor de wereld om hem heen maakte dat zijn scherpe oog de verschillende uitingen van het leven niet alleen op een rationele, oppervlakkige manier observeerde, maar ook de harmonie, schoonheid en natuurlijke ordening erin ontdekte.

De wereld van de Renaissance vormt de achtergrond van Da Vinci's genialiteit. In deze periode beginnen nieuwe ideeën als humanisme, een wetenschappelijke benadering van de kosmos en een opkomend individualisme de wijsheden van de kerk in twijfel te trekken, die eerder door dogma's dan door ervaring werden geleid. De Renaissance schiep de blauwdrukken voor veel ideeën en zaken die we nu als heel gewoon beschouwen, zoals vliegtuigen, duikboten, duikerklokken, helikopters, tanks, kunststof en contactlenzen, evenals de camera obscura, een voorloper van de moderne camera. Al deze grote uitvindingen lieten de conventies van die vernieuwende periode ver achter zich, waar het als ketterij werd beschouwd om al te veel de oorsprong van het universum te bestuderen. Da Vinci's grote geest bezoekt die verboden gebieden, op zoek naar de waarheid waarmee het leven kan worden geleefd. De morele dilemma's tussen geloof en wetenschap zijn vandaag de dag nog steeds een punt van discussie.

In de dagen van Da Vinci waren wetenschappelijke inzichten gebaseerd op de geschriften van invloedrijke geleerden als Aristoteles. Maar Da Vinci zag helder dat veel klassiek-wetenschappelijke theorieën onjuist waren door gebrekkige observatie. Als autodidactisch discipel van de ervaring kwam hij door zijn kunstenaarsogen en eigen zorgvuldige observaties tot andere conclusies. 'Mijn proefnemingen trekken de autoriteit van sommige gerespecteerde mannen in twijfel, tegen wie wordt opgekeken om hun beweringen die niet aan de waarneming getoetst zijn.' Hij hield eraan vast dat 'al onze kennis haar oorsprong heeft in onze waarnemingen'.

Leonardo da Vinci was een man van grote tegenstellingen. Hij haatte oorlog, maar ontwierp vernietigingswapens. Hij was een vegetariër die dieren en mensen ten behoeve van anatomisch onderzoek ontleedde. Hij was een groot schilder die opdrachten zelden voltooide. Hij was een humanist in de dop die in God geloofde. Een man die de kennis van klassieke schrijvers in twijfel trok, maar ze niettemin gretig las. Een man die machtige meesters diende, maar wiens eigen meesterschap groter was. Een man die het goddelijke in de mens zag, maar de mensheid vaak minachtte.

Ondanks de grote verering voor hem, was Leonardo even menselijk als zijn medemensen, en in zijn jeugd werd hij zelfs beschuldigd van homoseksuele betrekkingen, toen op sodomie nog de doodstraf stond. Gelukkig voor zijn bewonderaars ontkwam hij aan berechting en veroordeling. Als destijds een van zijn aantekenboeken openbaar was geworden, zouden zijn vooruitstrevende wetenschappelijke theorieën en zijn ketterse minachting voor sommige kerkelijke praktijken ongetwijfeld tot excommunicatie en de dood hebben geleid. Da Vinci's heimelijkheid redde hem, en verklaart misschien deels waarom hij in spiegelschrift schreef.

Hij was hierin overigens niet uniek, want een generatie eerder gebruikte de kunstenaar Filippo Brunelleschi deze schrijfwijze ook al. Hij loste het architectonische vraagstuk op welke koepel er op de onvoltooide kathedraal in Florence moest komen. Om zijn controversiële plannen geheim te houden voor concurrenten die op dezelfde opdracht uit waren, schreef Brunelleschi zijn aantekeningen in spiegelschrift. Uit handschriftfragmenten blijkt dat de linkshandige Leonardo liever van rechts naar links schreef dan omgekeerd. Als linkshandig genie in een wereld van rechtshandigen, en als niet erkende, onwettige zoon in een wereld van keurige burgers, vormde Da Vinci zijn eigen lot op een manier waartoe minder progressieve mensen niet in staat waren.

KLEIN BEGINNEN

Wij zien Da Vinci als een intellectuele reus, maar zo is hij niet begonnen. Als onwettige zoon kreeg hij zo weinig onderricht dat hij geen Latijn en wiskunde kende. Toen hij in Florence deel wilde uitmaken van de stadse, ontwikkelde kringen van de bankiersfamilie De Medici, begon hij duidelijk met een achterstand. Andere grote intellectuelen gingen hem voor en keken mogelijk neer op deze goed uitziende jonge man met het boerse accent, die zichzelf nog bewijzen moest. Aan het hoofd van Cosimo's academie stonden mannen als Marsilio Ficino, de neoplatonist die de werken van Plato en de *Corpus Hermeticum* vertaalde (het laatste voor Cosimo de Medici), de dichter Angelo Poliziano, tijdgenoot van Leonardo, en de buitengewoon erudiete Pico della Mirandola die de esoterische kunst van de kabbala bestudeerde, maar eveneens het nieuwe humanisme verkende dat Leonardo zo aantrok. Deze academie was opgericht naar het voorbeeld van Plato, en tijdens symposia werd over filosofische en wetenschappelijke vraagstukken gediscussieerd.

Boven de deur van Plato's oorspronkelijke school stond de waarschuwing: 'Laat niemand zonder kennis van geometrie hier binnengaan'. Op die manier werd Leonardo buitengesloten. Hij maakte het daarom tot zijn levenstaak wiskunde en geometrie te beheersen. Hij werd zo door deze studies opgeslokt dat hij geen tijd en belangstelling had voor prestigieuze opdrachten. Hij vond de lessen van de grote wiskundige Luca Pacioli buitengewoon inspirerend. Toen Leonardo in dienst was van Sforza, illustreerde hij Pacioli's boek *De goddelijke verhouding* met driedimensionale tekeningen van platonische lichamen.

Aangezien hij niet met de erudiete Mirandola of Poliziano kon wedijveren, begon Leonardo met een geheel nieuwe, oorspronkelijke studie, de waarneming van de natuur en de ervaring. Hij wilde een unieke combinatie van kunst en wetenschap creëren, waarin kunstenaars de structuur en vorm van alle dingen zouden observeren en die zouden vastleggen *zoals ze waren*. Hij was hierin als enige buitengewoon begaafd, maar dat weerhield hem niet van dromerijen. Er is een ontwerp dat hij mogelijk heeft gezien als een geschikt,

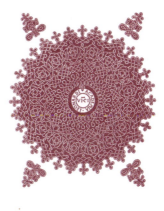

pakkend logo voor zijn eigen naam, Da Vinci, dat ook 'van de wilgentenen' betekent. Het toont een ronde vorm met vlechtwerk met in het midden woorden die wijzen op een ambitieus, maar zeker nooit uitgevoerd plan. Er staat namelijk 'Academia Leonardi Vinci' (academie van Leonardo da Vinci). Dit logo lijkt uiting te geven aan een droombeeld, want het is onwaarschijnlijk dat Leonardo het geduld, de toewijding en de belangstelling had om studenten te onderwijzen.

Net als veel van zijn andere ideeën kwam de academie van Da Vinci voort uit een briljante geest die niet altijd ambitieuze beloften kon waarmaken, hetzij wegens een theoretische benadering, hetzij wegens technische beperkingen. Ironisch genoeg was het Rafaël die Da Vinci als het hoofd van de academie zou schilderen. In het fresco van Rafaël uit 1509, *De school van Athene*, wordt de oudere Da Vinci in het midden afgebeeld als Plato zelf, met de *Timaeus* onder de arm en de karakteristieke geheven wijsvinger, terwijl Michelangelo als de filosoof Heraclitus, op de voorgrond humeurig op de treden zit.

HET RAADSEL VAN DE ZIEL

In veel van Da Vinci's schilderingen komt voortdurend een raadselachtig detail terug, een wijzende vinger. Deze vinger is te zien op een aantal kaarten van dit tarotspel, waaronder VI Tweelingen, XI Ervaring en XVII De Wegwijzer. We vinden het ook in de schilderijen *Het laatste avondmaal, Johannes de Doper* en *De maagd van de rots* (de versie in het Louvre). Wat betekent die wijzende vinger? Op de kaart VI Tweelingen lijkt het alsof de heilige Anna tegen haar dochter Maria zegt dat Jezus niet alleen haar kind is, maar ook voor een hoger doel geboren is. Op kaart XVII, de Wegwijzer, doet Johannes de Doper (eveneens op VI Tweelingen te zien) zijn profetische best de weg van de Heer te verkondigen. Maar wat doet die mysterieuze, wijzende vrouw op kaart XI Ervaring? Zij wijst op het mysterie van de ziel, dat we alleen begrijpen door onze unieke ervaring van het leven.

Elke ziel is een raadsel dat erop wacht verkend te worden. Het lot is niet iets wat vastligt of is voorbestemd, het is een blauwdruk die wordt geopenbaard terwijl we door het leven gaan. Ieder van ons heeft een schat aan gaven waarmee we het enigma van onze unieke code kunnen begrijpen. De manier waarop we deze gaven gebruiken en met elkaar verbinden, helpt onze uiteindelijke weg door het leven te bepalen. Door onszelf te kennen, door aandachtiger te kijken naar de redenen van ons bestaan, ontdekken we het unieke schrift van onze ziel en komen we meer in harmonie met de wereld. In een tijd waar het belang van het fysieke DNA universeel wordt erkend, is het onbegrijpelijk dat de unieke code van de ziel zo wordt verwaarloosd. Leonardo da Vinci's visie van de micro- en de macrokosmos die samen één geheel vormen, lijkt te verwijzen naar zijn strijd om de relatie tussen lichaam en ziel te begrijpen.

In Da Vinci zit een engelachtige dubbelganger, een ziel die meer kan doorgronden dan de lichamelijke Da Vinci. Deze innerlijke dualiteit tussen de man en zijn geest vinden we vaak terug in Da Vinci's kunst, bijvoorbeeld in schilderijen als de *Maagd van de rots*, waar Christus en Johannes de Doper samen als kinderen worden afgebeeld. Een deel van Leonardo is als Johannes de Doper, iemand die de weg wijst, vooruitkijkt en de wegbereider is voor iemand die groter is dan hijzelf. Maar het andere deel van Leonardo is als Christus, die goddelijkheid nastreeft in zijn menselijkheid en tracht de hoogste helderheid en verlichting te bereiken (*zie VI Tweelingen*).

In zijn *Over de waardigheid van de mens* citeert Pico della Mirandola de Chaldeeuwse profeet Zarathustra: 'De ziel heeft vleugels, maar als de veren uitvallen, keert ze onmiddellijk terug in het lichaam. Als de vleugels weer aangroeien, vliegt ze naar de hemelen.' Toen Zarathustra's leerlingen aan hem vroegen hoe ze zielenvleugels konden krijgen waarmee ze goed konden vliegen, raadde hij hun aan 'de vleugels te bevochtigen met de wateren des levens'.

Bij Leonardo zien we een ziel wier vleugels uitvielen. Hij probeerde zijn leven lang zijn vleugels terug te vinden, hij smachtte ernaar weer te kunnen vliegen. Als iemand het ooit verdiende om te vliegen, was het deze complexe, briljante, ongeduldige man die zijn droomvleugels zo goed met de wateren des levens bevochtigde, dat zijn vlucht nog steeds voortduurt. Hij leent zijn vleugels aan iedereen die dingen verkent, observeert en nastreeft.

2
WEGWIJS

HET DA VINCI ENIGMA TAROT

'Uit ervaring weet ik dat het heel nuttig is de vormen opnieuw te bekijken die je in je verbeelding, in het donker op bed, bestudeerd hebt, en de betekenisvolle dingen in ogenschouw te nemen die uit zo'n subtiele waarneming voortkomen. Het is een zeer waardevolle oefening, heel geschikt om zaken in je geheugen te griffen.'

LEONARDO DA VINCI

Dit hoofdstuk geeft een overzicht van de indeling en vorm van *Het Da Vinci Enigma Tarot*. Als je bekend bent met tarot, zie je meteen in hoeverre die afwijkt — en over-eenkomt — met gewone tarotkaarten. (N.B. Als dit je eerste kennismaking met tarot is, is het handig een tarotboek voor beginners te raadplegen over de geschiedenis en algemene bedoeling van tarot. Zie ook 'Overige literatuur' op blz. 144).

Het Da Vinci Enigma Tarot is niets minder dan een plattegrond van de micro- en de macrokosmos. Dit is een renaissancistische benadering van de kosmos, waarbij de macrokosmos als het universum als geheel wordt gezien, en de microkosmos als de weerspiegeling van de macrokosmos in miniatuur. In de renaissancistische denkwijze van Da Vinci was de microkosmos het menselijke wezen: 'de ouden noemden de mens een kleinere wereld... [want hij] ...is gemaakt uit aarde, water, lucht en vuur'. Door te proberen de micro- en macrokosmos met elkaar in harmonie te brengen, zijn we beter in staat tot een meer samenhangend leven dat trouw is aan de verbinding van beide werelden. Deze verbinding zien we in de wereld van de 21^e eeuw.

Naast de 78 kaarten van het tarotspel zijn er twee Raadselkaarten, die uniek zijn voor deze tarot. De eerste laat zien hoe de kaartruggen (ook van de twee Raadsel-kaarten) samen een patroon vormen. Dit patroon, met repeterende cirkels en door elkaar gevlochten knoopwerk, lijkt op het labyrintische herhalingsontwerp dat Leonardo gebruikte bij de versiering van de Sala della Asse in het kasteel van Ludovico Sforza in Milaan, en is tevens het middelpunt in het embleem van zijn eigen 'academia' (zie blz. 13). In het patroon van dit tarotspel zitten vijf repeterende veelvlakken die Leonardo voor het boek *De goddelijke verhouding* van Luca Pacioli, zijn wiskundeleraar, tekende.

In zijn *Timaeus*, die handelt over de kosmosstructuur, stelde Plato vast dat die bestaat uit vier elementen, lucht, vuur,

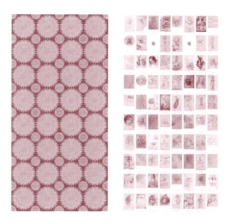

Het Enigmapatroon   Het Enigmaraster

water en aarde, en dat deze verbonden zijn aan vier platonische lichamen. 'De kubus (hexaëder) hoort bij de aarde, want die is de stabielste, standvastigste vorm. De icosaëder wordt als minst mobiele vorm aan water verbonden, de mobielste (tetraëder) aan vuur en de vorm daartussenin (octaëder) aan lucht. Er blijft een vijfde lichaam over dat de god gebruikte om het uitspansel te verluchten, de dodecaëder.' De betekenis van de vier elementaire vormen en de dodecaëder die de geest verbeeldt, wordt later duidelijk, als je de Lotlegging gaat gebruiken (zie blz. 137).

De tweede Raadselkaart toont het Enigmaraster, dat de opeenvolging van alle open kaarten laat zien. Dit raster geeft weer hoe micro- en macrokosmos in elkaar overgaan en onthult de natuurlijke 'rustplaatsen' van de kaarten als compleet spel. Als je de Lotlegging gebruikt, zul je zien dat combinaties van kaartruggen samen een serie van toevallige verbindingen vormen die de volgorde van het Enigmaraster *overtreffen* en je helpen het unieke handschrift van je zielscode te vinden. De twee Raadselkaarten worden niet in het spel gebruikt, maar dienen als referentie. Alle gewijde patronen zijn voorzien van een lege ruimte om de goddelijke bezieling toe te laten die tot scheppen inspireert.

DE KAARTEN VAN DE MACROKOSMOS

De 22 kaarten van de Grote Arcana vormen de archetypische wereld van de macro-kosmos en bevatten de primaire patronen van alles wat bestaat. Op deze kaarten staan schetsen en studies van Da Vinci. Ze tonen de voornaamste invloeden die voor ieder-een gelden, de eerste essentiële stappen naar een evenwichtig leven. Als er in een leg-ging macrokosmoskaarten verschijnen, kijk dan zorgvuldig naar de invloeden die ze over jouw lot onthullen. In dit tarotspel krijgen twaalf kaarten nieuwe namen.

DA VINCI RAADSEL BENAMING	TRADITIONELE BENAMING	DA VINCI RAADSEL BENAMING	TRADITIONELE BENAMING
0 De Dwaas	0 De Dwaas	XI Ervaring	XI Gerechtigheid
I De Magiër	I De Magiër	XII Overgang	XII De Gehangene
II Het Raadsel	II De Hogepriesteres	XIII De Dood	XIII De Dood
III De Keizerin	III De Keizerin	XIV Gematigdheid	XIV Gematigdheid
IV De keizer	IV De Keizer	XV Pijn & Plezier	XV De Duivel
V De Hiërofant	V De Hiërofant	XVI De Zondvloed	XVI De Toren
VI Tweelingen	VI Geliefden	XVII De Wegwijzer	XVII De Ster
VII Verbeelding	VII De Zegewagen	XVIII Ontvangenis	XVIII De Maan
VIII Kracht	VIII Kracht	XIX Geboorte	XIX De Zon
IX De Heremiet	IX De Heremiet	XX Vernieuwing	XX Het Oordeel
X De Tijd	X Het Rad van Fortuin	XIX De Wereld	XXI De Wereld

DE KAARTEN VAN DE MICROKOSMOS

De 56 kaarten van de Kleine Arcana representeren de kleinere wereld van de microkos-mos, zoals het leven zich aan ons toont, en de richting die onze unieke gaven op gaan. De manifeste wereld van de microkosmos weerspiegelt de grotere wereld van de macrokos-mos. De vier elementen Lucht, Vuur, Water en Aarde staan traditioneel voor respectieve-lijk Zwaarden, Staven, Kelken en Pentakels (of Pentagrammen), hoewel andere viervoudi-ge kwaliteiten die van belang zijn voor Da Vinci, ook aanwezig zijn. Da Vinci spreekt over onze botten als rotsen, en over onze bloedcirculatie en ademhaling als de getijden van de oceaan. Hij zag de vier krachten der natuur als Percussie, Kracht, Impuls en Gewicht. Zij zijn 'de kinderen van de beweging, aangezien ze er uit geboren zijn' (zie hiernaast).

TRADITIONELE BENAMING	DA VINCI RAADSEL BEN.	KRACHTEN DER NATUUR
Zwaarden	Lucht	Percussie
Staven	Vuur	Kracht
Kelken	Water	Impuls
Pentakels	Aarde	Gewicht

LUCHT De Lucht is moedig, zelfs driest, niet bang zijn kracht te laten zien. Hij dringt voortvarend tot de kern van de zaak door en laat de gedachten en handelingen van de krijger en de leider zien. Hij is verbonden aan het principe van de *percussie*, die mensen ervaren in de vorm van windvlagen.

VUUR Het Vuur is vol vindingrijkheid en energie, het verkent de creatieve bron die de bestemming van de ziel vormgeeft. Het laat zien hoe de vakman zijn ambacht uitoefent. Deze kaarten tonen het principe van *kracht*, die mensen ervaren in hun vermogens.

WATER Bij het Water gaat het om de gevoelens en stroom van onze zielsbestemming. Het laat onze liefde en betrokkenheid met onze levensweg zien, evenals het gevoel van de kunstenaar voor het schone. Water is verbonden aan het principe van de *impuls*, die mensen ervaren als stroming of beweging.

AARDE De Aarde vertegenwoordigt het werk van onze handen en toont hoe je omgaat met de gave van je roeping op de weg die je ziel gaat. De kaarten onthullen hoe deze gave zich in het dagelijks leven manifesteert, in zaken en handel. Dit element is verbonden aan het principe van het *gewicht*, dat mensen ervaren in de zwaartekracht.

De kaarten, van Aas tot Tien, tonen afbeeldingen uit Leonardo's aantekenboeken, waarin hij zijn ingevingen en ontlede lichamen schetste en theorieën en waarnemingen opschreef. Genummerde kaarten in leggingen wijzen gewoonlijk op de stroom van het leven, je bedoeling, je gedrag, je acties. Elke genummerde kaart heeft een naam.

	LUCHT	VUUR	WATER	AARDE
AAS	Lucht	Vuur	Water	Aarde
TWEE	Respect	Richting	Vereniging	Polariteit
DRIE	Beproevingen	Matrix	Verbinding	Perspectief
VIER	Rust	Viering	Teleurstelling	Samenkomst
VIJF	Wedijver	Strijd	Ontvouwing	Behoefte
ZES	Bloei	Overwinning	Geheugen	Geven
ZEVEN	Actie	Succes	Illusie	Uithoudingsvermogen
ACHT	Beperking	Baan	Transport	Arbeid
NEGEN	Gevaar	Weerstand	In de lucht	Wortels
TIEN	Straf	Lasten	Gezin	Fundament

- Een *Aas* verwijst naar begin, oorzaken, primaire energie en opkomen voor jezelf.
- Een *Twee* toont dualiteit, drempels, beloftes en overeenkomsten.
- Een *Drie* onthult de vruchten van een Twee: plannen, bevestiging, begrip.
- Een *Vier* toont eerste uitingen, beginnende standvastigheid en ontmoetingen.
- Een *Vijf* betreft verklaringen, veranderingen, uitdagingen en mislukkingen.
- Een *Zes* onthult afstemming, resultaten en harmonieuze overeenkomsten.
- Een *Zeven* toont verbeeldingskracht en het effect van acties en gedrag.
- Een *Acht* verwijst naar evaluatie of bedoelingen en bewegingen die uit een Zeven voortkomen.
- Een *Negen* toont integratie, flexibiliteit en prestaties.
- Een *Tien* wijst op het toppunt, op de conclusie en de uiteindelijke manifestatie.

De Hofkaarten De hofkaarten van de vier elementen van de Kleine Arcana zijn afgeleid van de tekeningen die Leonardo maakte voor portretten, maskers en fantasievoorstellingen. Als hofkaarten in een legging voorkomen, wijzen ze op mensen of standpunten die gunstig zijn voor jouw zaak. De hofkaarten in dit tarotspel zijn de Schildknaap, de Ridder, de Dame en de Heer. Koning en Koningin ontbreken omdat de Italiaanse stad-staten uit die tijd eerder republieken dan koninkrijken waren.

DE BETEKENIS VAN EEN KAART BEGRIJPEN

Elke kaartinterpretatie in dit boek beschrijft de afbeelding van de kaart en kent de volgende indeling:

DIMMI In de marges van zijn aantekenboeken gebruikt Leonardo voortdurend het woord *dimmi*, of 'vertel me eens', als hij met een nieuwe pen begint, alsof hij de pen uitdaagt hem iets nieuws te vertellen. Elke kaart stelt je een of twee vragen over de getrokken kaart, die *jij* beantwoordt met betrekking tot het onderwerp waarvoor je de kaarten legt. Ga zo eerlijk mogelijk met deze vragen om. Ze vertellen je veel meer dan de betekenissen die in dit boek worden gegeven.

ACHTERGROND Deze geeft informatie over de kaart en over Leonardo's leven en werken of over het onderwerp van de kaart.

ZIELSCODE Deze onthult hoe de getrokken kaart je zielsbestemming helpt of uitdaagt. Als je de kaarten leert kennen, kun je dit onderdeel voor meditatie gebruiken. Als je echt probeert een kaart te interpreteren, ontdek je dat dit en de vragen van de *dimmi* mee helpen te onthullen waar de kaart over gaat. Als je de Lotlegging gebruikt, kan de informatie van de zielscode een 'brug' slaan tussen je gebonden en ongebonden kaarten.

RECHTOP Bij traditionele leggingen kun je dit lezen, als de kaart rechtop ligt. Lees bij de Lotlegging de betekenis als die rechtop ligt en gebonden is aan een andere kaart.

OMGEKEERD Bij traditionele leggingen lees je dit als de kaart omgekeerd ligt. Bij de Lotlegging lees je dit voor elke kaart die je hebt omgedraaid voor een gebonden combinatie. Als je kaart ongebonden en omgekeerd is, kijk je naar beide betekenissen.

ONGEBONDEN Bij traditionele leggingen gebruik je dit onderdeel waarschijnlijk niet. Als je een kaart 'moeilijk' vindt of je voelt je er ambivalent bij, probeer dan dit te raad-

plegen. Bij de Lotlegging lees je deze betekenis voor alle kaarten die niet kunnen worden opgenomen in de verbonden combinatie(s).

VRAGEN EN VOORSPELLINGEN

Vraagstukken die naar voorspellingen leiden, zijn even gevarieerd en individueel als
wijzelf. *Divinatie* (voorspellen) betekent 'de goden vragen'. Op de vragen die we aan het
tarot stellen, hebben we dringend wezenlijke antwoorden nodig. Deze antwoorden zijn
tweeledig. Ze komen uit het macrokosmische perspectief dat breder is dan het louter
menselijke gezichtspunt, en uit de microkosmos van onze diepste intuïtie. Vaak kennen we de antwoorden al om tot een oplossing te komen, maar we geloven het pas als
onze intuïtie dit bevestigt. Voorspellen krijgt dan geldigheid. Ons lot is niet verzegeld
of voorbestemd, maar eerder bestuurbaar vanuit de vraag. Als we onze coördinaten in
de gaten houden, zullen we naar onze ster sturen en onze 'standvastige koers' houden
(zie ook de Twee van Vuur, blz. 86).

De manier waarop we het tarot vragen stellen, is de sleutel tot tarotlezen. Zonder
een nuttige, onderzoekende vraag komt er geen adequaat antwoord. Bekijk je probleem
zorgvuldig, formuleer je vraag en schrijf die op. Bekijk wat je hebt opgeschreven.
Omschrijft het wat je bedoelt? De volgende tips zullen je helpen de juiste vraag te stellen.

1 Houd je vraag kort en bondig. Kies liever een onderwerp dat dringend om aandacht vraagt dan iets waar je nieuwsgierig naar bent.
2 Vermijd vragen waarop met ja of nee kan worden geantwoord. Vraag niet 'Zullen
   we emigreren?' maar 'Wat zijn de consequenties als we in een ander land gaan
   wonen?'
3 Formuleer je vraag liever positief dan negatief. Dus in plaats van 'Waarom lukt het
   me niet?' vraag je 'Hoe kan het me lukken?'

Hier volgen enkele praktische standaardvragen voor kwesties die bij jou spelen.
- Ik wil graag opheldering over [het onderwerp].
- Ik wil graag de volgende stap in dit proces weten.

- Ik wil graag [het onderwerp] begrijpen.
- Wat is het belangrijkste waar ik op moet letten?

GEBRUIK VAN DE KAARTEN

De kaarten schudden Sommige mensen vinden het moeilijk om kaarten te schudden en trekken ze liever ongezien uit het pak, of spreiden alle kaarten uit op tafel en schuiven alles dan goed door elkaar. Als je klaar bent om een kaart te kiezen, let dan op dat je 'm links pakt en omkeert (voor rechtshandigen althans, linkshandigen pakken 'm rechts op), zodat een 'omgekeerde' kaart niet verandert in 'rechtop' of andersom. Wanneer je kaarten bij de Lotlegging omkeert, moet je ze ook nog gespiegeld omkeren (zie blz. 138).

Gidskaarten Wanneer je je vraag aan de kaarten geformuleerd hebt, schud je het hele pak. Leg drie ongeveer gelijke stapeltjes met de achterkant boven, van rechts naar links. Draai de stapeltjes om en bekijk de kaarten die nu bovenop liggen. Deze drie gidskaarten kunnen je helpen hoe je de tarotlezing vorm gaat geven en ze kunnen de weg wijzen over het onderwerp dat je wilt aankaarten. Schrijf de namen van de kaarten op en leg ze op dezelfde plaats terug. Pak de drie stapeltjes van links naar rechts op en maak er weer een pak van. Trek de bovenste kaarten voor je legging. De voorbeeldleggingen in hoofdstuk 5 laten zien hoe deze gidskaarten werken.

Omgekeerde kaarten Sommige mensen raken in verwarring van omgekeerde kaarten of worden ongeduldig, en kiezen dan maar voor de betekenis rechtop. Wil je echter het raadsel van je zielscode verkennen, dan haal je meer uit een lezing als je ook omgekeerde kaarten gebruikt. Niet alle omgekeerde kaarten zijn onplezierig of moeilijk. Sommige staan voor verlichting van verdriet, zoals de Vier van Water. Om te zorgen dat er omgekeerde kaarten komen, moet je het hele pak rechtop in één hand houden en met een vinger van de andere hand zoveel kaarten oplichten als je kunt. Pak deze kaarten en leg ze omgekeerd, schud dan alle kaarten of leg ze één voor één terug in het pak. Gebruik je de Lotlegging, dan zul je automatisch omgekeerde kaarten krijgen als je kaarten probeert te verbinden voor het Enigmapatroon.

Kaarten schoonmaken Als je een tarotlezing hebt afgerond, moet je de kaarten 'schoonmaken', opdat de kaartvolgorde en de invloed van de laatste vraag of vraagsteller grondig worden verwijderd. Je zult merken dat de net gebruikte kaarten een beetje 'plakken' en de neiging hebben steeds weer tevoorschijn te komen. Als je meteen na de eerste legging een volgende doet, stop de gebruikte kaarten dan willekeurig terug in het pak. Als je klaar bent met lezen, maak dan van het rechtop liggende pak kaarten zeven stapeltjes. Pak deze in willekeurige volgorde op, waardoor ze 'schoon' worden en door elkaar raken.

Vermeerderen en bruggen slaan Veel tarotlezers pakken de eerstvolgende kaart als een moeilijk te interpreteren kaart om een toelichting vraagt. Dit heet een kaart 'vermeerderen'. Je kunt deze op of naast een 'moeilijke' kaart leggen. Als je dit doet, laat je dan leiden door de betekenissen van de zielscode voor beide kaarten te lezen. In de Lotlegging word je aangemoedigd een willekeurige kaart te trekken om een brug te slaan tussen onverbonden kaarten en deze terug te brengen in je lezing.

Kaartinterpretatie Het interpreteren van de kaarten kun je niet uit een boek leren, want er zijn altijd drie factoren die een rol spelen: de vraagsteller, de vraag en de kaarten zelf. Alleen als je met deze drie factoren rekening houdt en jezelf – de tarotlezer – erbuiten houdt, kun je tot een interpretatie komen. Verbind de kaarten altijd aan de vraag die de vraagsteller heeft gesteld. Daardoor kun je je concentreren op de antwoorden. Als je een lezing voor een ander doet, probeer dan liever de *dimmi*-vragen te gebruiken in plaats van alleen de gegeven betekenissen voor te lezen. Ik verzeker je dat dat verrassende resultaten geeft.

De betekenis van de kaarten in de *Het Da Vinci Enigma Tarot* zijn toegespitst op de lezer die voor zichzelf het raadsel van de ziel wil verkennen. Als je voor iemand anders leest, staat die persoon of situatie in het middelpunt, en zul je de betekenissen moeten wijzigen. De betekenissen van de kaarten liggen niet vast, maar zullen veel nieuwe aspecten onthullen.

3

MACROKOSMOSKAARTEN

DE GROTERE, ARCHETYPISCHE WERELD

'Je kunt jezelf gemakkelijk universeel maken.'

LEONARDO DA VINCI

0 DE DWAAS

0 DE DWAAS

DIMMI

Wat roept jou naar deze nieuwe koers?
Hoe geeft het instinct je kracht?

EEN GEKETENDE, HAVELOZE BEDELAAR

ACHTERGROND Het grootste deel van Leonardo da Vinci's kunstenaarsleven was een worsteling. Hij leefde van de hand in de tand en moest altijd klaarstaan voor zijn beschermers en voor gemeentelijke overheden die de financiële touwtjes in handen hadden. We kunnen nu en dan een glimp opvangen van zijn nauwelijks ingehouden ongeduld over de eisen van ruziënde ambtenaren, klagende geestelijken en bevelen van heerszuchtige vorsten. Toen hij zijn geluk beproefde aan het hof van Ludovico Sforza in Milaan, werd hij merkwaardig genoeg niet voorgesteld als een kunstenaar, maar als musicus. Da Vinci was zich bewust van zijn mogelijkheden en verlangde ernaar opgemerkt te worden door een machtige beschermheer. Daarom presenteerde hij zichzelf als militair ingenieur die wapens kon maken om de vijand weerstand te bieden en zelfs te verslaan. Hij doet het aanmatigende voorstel zijn vaardigheden en 'geheimen' aan Sforza ter beschikking te stellen. Hij zal werktuigen en onbekende toestellen maken, zoals bewapende wagens en kanonnen, die de vijand zullen vernietigen. Op de een of andere manier werd zijn vermetele, van zelfvertrouwen blakende voorstel aanvaard en hij werd in Milaan geïntroduceerd als een waardevol lid van Sforza's gevolg.

Dergelijke risicovolle acties, met daarbij de neiging te veel hooi op de vork te nemen, markeerden Leonardo's loopbaan. Deze bedelaar is een van zijn ontwerpen voor de buitenissige maskers van Sforza, voor wie de ontluikende kunstenaar veel huishoudelijke klussen deed, zoals de aanleg van de verwarming in de badkamer van de hertogin. De bedelaar op deze kaart is door onwetendheid geketend en wordt door andermans wil beperkt, maar hij heeft een verbeeldingskracht die vrij van ketenen is.

Hij is op zoek naar kennis en vrijheid, hij verlangt naar een weidse, meer vrijgevige wereld waar hij zijn vaardigheden volledig kan ontwikkelen.

ZIELSCODE Instinct is de eerste gids in het leven. Luister naar wat je instinct te zeggen heeft over de situatie. Een gangbare mening is niet noodzakelijkerwijs een goede aanwijzing hoe jij in deze zaak zou moeten handelen. Als je de drang voelt op reis te gaan zonder een specifieke bestemming, zet dan de eerste stap en laat je lot een aanvang nemen. De weg zal niet altijd zo duidelijk en gemakkelijk zijn als deze nu lijkt, maar houd in gedachten wat je beweegreden was om op weg te gaan en je zult het spoor snel terugvinden.

RECHTOP Een naïeve, kinderlijke verrukking leidt je met groot enthousiasme naar nieuwe plannen en thema's. Onschuld en spontaniteit dragen je over een groot deel van de weg voort. Er is een groot verlangen naar vrijheid en nieuwe perspectieven en je volgt je gezichtspunt, ondanks een gebrek aan middelen.

OMGEKEERD Risico's vermijden lijkt volwassen gedrag, maar soms moet je het erop wagen en riskeren voor een dwaas te worden uitgemaakt. Anderzijds probeer je een verkeerde beslissing of onbezonnenheid mogelijk al recht te trekken. Een aanvaarding van grenzen werkt belemmerend. Je bent voor niets bezig.

ONGEBONDEN Je hebt een gevoel van ongeketende vrijheid, maar die is niet zo vrij als ze misschien lijkt. Er komen geen mogelijkheden op je pad, omdat je nog vastzit aan een conventionele zienswijze. Door te zoeken naar de veiligheid van begrenzing, mis je mogelijk een kans.

I DE MAGIËR

I DE MAGIER

DIMMI
Hoe verandert jouw unieke gave de wereld om je heen?
Hoe beoefen en onderhoud je je vaardigheden in het dagelijks leven?

EEN ZELFPORTRET VAN LEONARDO DA VINCI

ACHTERGROND Dit zelfportret in rood krijt is een van de beroemdste tekeningen van Leonardo. We zien hem hier als zestiger, mogelijk op het moment dat hij zich al heeft teruggetrokken in Frankrijk. Hij is onverbloemd volgens zijn leeftijd afgebeeld, maar hij heeft niets pathetisch of afgetobds. Da Vinci's schrandere, verziende ogen kijken scherp naar wat hij heeft gemaakt en de lijn van zijn mond laat vastbeslotenheid zien. Zijn lange haar en baard herinneren aan de mooie man die hij ooit was. Over de rol en reputatie van een schilder schrijft Da Vinci: 'Het is beslist geen grote prestatie om een bepaalde mate van volmaaktheid te bereiken, vooral niet wanneer iemand zijn hele leven lang slechts één ding bestudeert.' Deze beschuldiging gold niet hemzelf. Hij had zo veel wegen van kunst en kennis verkend. Eerder geeft hij hier andere kunstenaars de raad: 'zorg ervoor dat er niets zonder reden in je werk voorkomt, niets dat niet geïnspireerd is op de werkingen der natuur... op die manier zul je als kunstenaar naam maken'.

Leonardo's oudere gezicht, dat ervaring en wijsheid uitstraalt, kijkt naar zijn bestemming die hij kundig heeft gevolgd en voleind. Hij peinsde: 'Wat de ziel ook is, zij is goddelijk, dus laat haar rustig haar werk doen... Zij neemt slechts zeer ongaarne afscheid van het lichaam.' Als de magiër die zo veel prachtige uitvindingen en tekeningen heeft gemaakt, laat hij ons zien hoe we de kunst kunnen beoefenen.

ZIELSCODE Originaliteit is de sleutel tot respect voor de bestemming van je ziel. Je bent geboren om je gaven te gebruiken. Door je oorspronkelijkheid trouw te blijven, kom je tot een authentiek leven dat je niet hoeft te veinzen of te verdienen, want je bent ermee geboren. Als je de reis maar begint, zal deze koninklijke weg naar meesterschap voor je liggen.

RECHTOP Bekwaamheid, meesterschap en zelfvertrouwen zitten in je. Je hebt het vermogen om met je vaardigheden dingen tot uiting te brengen. Als je heldere voornemens en wilskracht koppelt aan kundigheid en concentratie, kun je je doel bereiken. Door flexibel en scherpzinnig te zijn, kunnen je charismatische gaven iets betoverends creëren. Communicatie en doelbewustheid zijn nu belangrijk.

OMGEKEERD Je vaardigheden en middelen zijn niet geschikt voor deze taak en zullen anderen evenmin lang om de tuin leiden. Door zelfoverschatting en de neiging tot manipuleren treed je op als een charmante oplichter die onschuldigen bedriegt om zijn doel maar te bereiken. Soms begin je met dingen en heb je niet de inzet en concentratie om die af te maken.

ONGEBONDEN Een deel van jou is onbewust, wat je ontvankelijk maakt voor teleurstelling. Door je behoeften niet kenbaar te maken, kun je worden misleid of over het hoofd worden gezien. Doordat je niet verbonden bent met je eigen vaardigheden, krijg je een gevoel van onzekerheid en ontoereikendheid. Verbind je weer met je vermogens en zit jezelf niet in de weg.

II RAADSEL

II RAADSEL

DIMMI

Welke wijsheid lees je in het boek van je ziel?
Hoe kun je die op deze situatie toepassen?

EEN VROEGE STUDIE VAN DE MONA LISA

ACHTERGROND Er is meer inkt verbruikt voor theorieën over de identiteit en schilderwijze van de *Mona Lisa* dan voor enig ander werk van Da Vinci. Het is bekend dat hij vele jaren aan dit portret heeft gewerkt en het lange tijd bij zich hield. De raadselachtige glimlach van de *Mona Lisa*, ook bekend als *La Gioconda*, 'De speelse', verwijst naar het mysterie van de ziel maar houdt het goed geheim. Deze bijzonder ongebruikelijke studie van de *Mona Lisa* toont haar met een vaag getekende palmtak in de hand, alsof hij met de gedachte speelde om haar als een lijdende heilige te portretteren. Maar de palm kan ook voor deugd staan. De palm symboliseerde ook maagdelijkheid, zoals op de achterkant van Leonardo's huwelijksportret van de jonge Ginevra da Benci, dat hij voor haar echtgenoot maakte. De titel 'Mona' is een verkorte naam voor 'madonna' oftewel 'vrouwe'. Vrouwe Lisa was waarschijnlijk Lisa di Antonio Maria Gherardini, dochter van een welgestelde Florentijn. Ze trouwde in 1495 met Francesco di Bartolomeo del Giocondo.

Maar waarom was het voltooide werk nog steeds in handen van Da Vinci toen hij in 1517 in Frankrijk was? We weten dat hij er voortdurend aan bleef werken en geen kopieën maakte van het uiteindelijke schilderij, zoals hij wel bij andere schilderijen deed. *La Gioconda* heeft haar geheim bewaard. Zij staat symbool voor de inspirator die

je bewust maakt van je bestemming en die inspiratie geeft voor spirituele wijsheid, want 'wijsheid is het hoogste goed'.

ZIELSCODE Het mysterie van de zielsbestemming is een raadsel dat erop wacht te worden begrepen. Het kan niet op een technische manier worden ontcijferd, maar alleen door de sleutels en aanwijzingen te herkennen die onze intuïtie ons geeft. Jouw ziel is een uniek mysterie dat tijdens dromen of kalme beschouwingen wordt verkend, tijdens die gewijde momenten waarin je ziel en de goddelijke bron één zijn. Laat je mysterie in het geheim groeien en stel het niet bloot aan onwetenden of mensen die het afwijzen.

RECHTOP Door wijs en voorzichtig te handelen, leg je intuïtief de juiste verbindingen waardoor je steun kunt ontvangen. Zelfkennis maakt je kalm en integer. Gebruik je waarnemingsvermogen om tot de kern van de zaak door te dringen, maar respecteer de ware aard van wat je onderzoekt. Je zult raad of begeleiding krijgen.

OMGEKEERD Oppervlakkigheid verjaagt wijsheid. Een eerste indruk laat je waarschijnlijk niet het hele beeld zien. Gebruik je eigen inzicht en kennis niet op een destructieve manier, om anderen te ontmaskeren. Je aangeboren integriteit is in gevaar, of je verlaat je innerlijke wijsheid.

ONGEBONDEN Het leidt alleen maar tot misverstanden dat je het mysterie van je ziel aan anderen onthult en je wordt voor elitair of esoterisch uitgemaakt. Maar het 'anderszijn' dat mensen in je zien, hoeft je niet te verwarren. Hernieuwde gebondenheid krijg je door je zielenroerselen nauwkeuriger te verkennen, vanuit een minder egoïstisch perspectief.

III DE KEIZERIN

III DE KEIZERIN

DIMMI

Hoe ga je om met jouw unieke plek als levend wezen?
Hoe kan je anderen met liefde en vriendelijkheid in deze situatie leiden?

STUDIE VAN DE HEILIGE ANNA

ACHTERGROND Leonardo da Vinci's studie van de heilige Anna toont de moeder van Maria, die toegeeflijk naar haar kleinkind Jezus kijkt. Da Vinci's belangrijkste schilderijen van de Heilige Familie tonen alleen de moeder en grootmoeder van Christus, nooit Jozef, die in naam zijn vader was. Leonardo's eigen moeder, Caterina, was een boerenmeisje en niet getrouwd met zijn vader. Ze was met iemand uit haar eigen milieu getrouwd en liet Leonardo achter die, als onwettige zoon die niets van zijn vader zou erven, zelf zijn weg in de wereld moest vinden. Zijn vader trouwde een aantal keren en deze echtgenotes brachten Leonardo groot. Deze liefdevolle vrouwelijke aandacht is steeds een opvallend kenmerk in al zijn afbeeldingen van de maagd.

De liefdevolle moeder die het haar kind aan niets laat ontbreken, was niet alleen een figuur uit het dagelijks leven. In zijn 'profetieën' maakt Leonardo een wijze opmerking over een oude mediterrane gewoonte in Italië om het goddelijke vrouwelijke boven het goddelijke mannelijke te stellen als het op verering aankomt: 'Er zijn velen die het geloof in de zoon aanhangen, maar ze bouwen slechts kerken in naam van de moeder.' De heilige Anna wordt traditioneel beschouwd als de opperste verschafster van praktische wijsheid. Haar wortels gaan terug tot alle grote godinnen van de klassieke oudheid: Rhea, Cybele en de Grote Moeder zelf. De tederheid van de heilige Anna verbeeldt de moederliefde die de gave van de ziel voedt.

ZIELSCODE Door trouw te zijn aan de wetten van het leven, kan je ziel delen in de vreugde van het bestaan en balans en tijdloosheid vinden. De weg van een schepper wordt gevoed door edelmoedigheid en geduld, door de dingen hun aangeboren aard te laten houden. Het leven is voor je ziel de kans je lot met behulp van praktische wijsheid tot uiting te laten komen. Het diepe vertrouwen waarmee je met alles op je weg een band aangaat of het bemoedert, bestempelt je tot iemand die begaan is met de ontwikkeling van het leven.

RECHTOP Voeding en vruchtbaarheid zorgen ervoor dat je plannen worden voltooid. Door dingen de tijd te geven om te rijpen, stimuleer je hun ontwikkeling en kun je oogsten. Er komt creatieve levenskracht binnen die voldoening schenkt. Je hebt de gave schoonheid te creëren en bezorgde mensen gerust te stellen.

OMGEKEERD Middelen worden niet met wijsheid aangewend en leiden tot verlies of verspilling. Opportunisme en een gebrek aan planning staan de uitvoering van je wensen in de weg. Eigenliefde of op jezelf gericht genot maakt je krachteloos en tasten je relatie met anderen aan. Vernietig niet wat je liefhebt.

ONGEBONDEN Gefrustreerde creativiteit laat je mogelijk vol ideeën achter en verlamt je, doordat er niets wordt uitgevoerd. Misschien zit je in een impasse waar je geestelijke en fysieke pogingen niets uitrichten. Open je vrouwelijke kant en accepteer dat sommige dingen de ruimte moeten krijgen om te ontplooien. Zoek de heilzame werking van schoonheid zonder je genotzuchtig te voelen.

IV DE KEIZER

IV DE KEIZER

DIMMI

Waar is het gezag in je leven?

Wat zijn in dit geval de grenzen van veiligheid en orde?

STUDIE VAN MAN MET HELM

ACHTERGROND Deze tekening dateert uit de tijd dat Leonardo da Vinci nog leerling was van Andrea del Verrocchio. Zij is een mengeling van vaardigheid en fantasie. Het model is zonder twijfel een echte (maar onbekende) man, maar het harnas is aan zijn fantasie ontsproten. Het is mogelijk dat het portret de Venetiaanse *condottiere* Colleoni voorstelt, of een andere bevelhebber. Deze strenge, indrukwekkende krijger zou een van de vele machtige leiders van de Italiaanse stadstaten kunnen verbeelden die begunstigers van Leonardo waren. Harde mannen die gewend waren te bevelen, zoals Ludovico Sforza en Cesare Borgia.

Hoewel we de Renaissance beschouwen als een tijdperk van culturele vernieuwing, was het ook een moeizame periode van militair opportunisme en stedelijke expansie, die om slimme, sterke leiders vroeg. De leiders van de stadstaten moesten hun burgers standvastig tegemoet treden en als een soort peetvaders hen voortdurend belonen of bestraffen. Leonardo's aanbevelingsbrief voor Ludovico Sforza, hertog van Milaan, benadrukt dat Da Vinci allereerst beschikbaar is als 'uitvinder van oorlogstuig', en pas daarna als iemand die 'in vredestijd ook naar volle tevredenheid' als architect, beeldhouwer en schilder kan werken. In een roerige tijd overleefden alleen de sterken, mannen die praktisch dictator waren, de macht uitoefenden en onverdeelde trouw eisten. De Keizer verbeeldt de vaderlijke discipline die nodig is om de gave van de ziel te leiden.

ZIELSCODE De ziel verontschuldigt zich niet voor haar bestemming, maar volgt met overtuiging en gezag haar koers van begin tot eind. Deze krachtige weg wordt niet bereikt door anderen te negeren, maar door kundig en met vooruitziende blik gebruik te maken van veilige grenzen en orde, en door de verantwoordelijkheid voor beslissingen en plannen te nemen. Het beoogde doel wordt niet door dwang bereikt, maar door zelfbeheersing en verantwoordelijkheidsgevoel. De manier waarop je verantwoordelijkheid neemt of bescherming biedt, maakt je tot iemand die op krachtige, energieke wijze alle levende dingen op een verantwoorde manier verdedigt.

RECHTOP Gezag komt van macht, waarover je overvloedig beschikt. Bekwaamheid en competentie leiden tot stabiliteit. Leiderschap komt vanzelf als het gebaseerd is op vertrouwen en overtuiging. Deze kwaliteiten maken de dingen veilig voor de mensen die onder jouw hoede vallen. Duidelijke grenzen handhaven de orde. Stel je doelen en zet daarvoor je middelen op de juiste wijze in.

OMGEKEERD Onmacht en onvolwassenheid verraden je principes. Despotisme, vooroordelen of onvolwassenheid ondermijnen je macht, maken je overheersend, dominant en ineffectief. In emotionele afzondering kun je nog altijd de welwillendheid en compassie vinden om tot duurzame oplossingen te komen, die anderen niet onderdrukken.

ONGEBONDEN Door te afhankelijk te zijn van rede, logica en dogmatisch je gezichtspunten te handhaven, kun je geïsoleerd raken. Of voel je je mogelijk bedrukt of misbruikt door een gezagsbron waaraan je je onderwerpt? Je gevoel van eigenwaarde moet worden gestimuleerd, zodat je volgens je eigen gezag en meesterschap leeft.

V DE HIËROFANT

V DE HIËROFANT

DIMMI

Hoe sla je een brug tussen de microkosmos van het dagelijks leven en de macrokosmos van het spirituele bestaan? Hoe kun je bemiddelen in de onvoorspelbare of onverzoenlijke zaken in deze kwestie?

STUDIE VAN PETRUS VOOR HET FRESCO VAN HET LAATSTE AVONDMAAL

ACHTERGROND De loopbaan van de eerste paus, Petrus, gaat van eenvoudige visser tot het opperste gezag in de christelijke wereld. Als Christus' eerste volgeling is Petrus de steen (petra) waarop de kerk wordt gebouwd. Als hiërofant is hij letterlijk een brug die naar verlossing leidt. Hij begon echter als een nederige visser, die pas later 'visser van mensen' werd. In de tijd van Da Vinci werd het pauselijke hof echter gekenmerkt door vele intriges en verwaarlozing van de geestelijke plichten. De militante paus Julius II besefte dat hij alleen door de verkoop van aflaten zijn militaire operaties en ambitieuze bouwplannen kon bekostigen. Deze praktijk werd nagevolgd door Leo X. Hiertoe bevoegde priesters gingen het land door om aflaten aan de gelovigen te verkopen, die zo zichzelf of anderen uit het vagevuur konden redden. De verkoop van aflaten was een van de praktijken die later tot de reformatie leidden. Da Vinci schreef over dit misbruik. Hij klaagde dat het plaatshad 'zonder toestemming van de Meester van deze dingen, door mensen die noch de macht noch het gezag hebben om ze te verkopen'. Leonardo werkte voor paus Leo X, maar hij genoot niet van zijn verblijf in Rome, waar zijn anatomische studies voor 'toverkunsten' werden uitgemaakt.

De driedubbele kroon van de hiërofant symboliseert de eenheid van de priesterlijke, de profetische en de koninklijke rol, of de paus als de universele herder, de geestelijke rechter en tijdelijke heerser. Leonardo tekent Christus' eerste discipel als de onthuller van de zielsbestemming via de weg van de praktijk.

ZIELSCODE De ziel zoekt naar kanalen van spirituele waarheid en bronnen van gewijde verlichting om de weg in het leven te helpen vinden. Niet alleen in religie, maar ook in ethische ideologieën, manieren van leven en overtuigingen vindt de ziel een noodzakelijke combinatie om zowel de macro- als microkosmos te eren. De driedubbele kroon van de hiërofant wordt verkregen als de kleinere en de grotere wereld in balans zijn met het zelf.

RECHTOP Dankzij je vermogen bruggen te slaan kun je verbintenissen en overeenkomsten aangaan. Respect voor traditie, geestelijk erfgoed en plichtsgevoel geven je acties en besluiten vorm. Daarbij wordt de spirituele orde gerespecteerd. Het is tijd om te vergeven of om verzoening tussen strijdende partijen tot stand te brengen.

OMGEKEERD Door je onorthodoxe, nietsontziende aanpak liggen dingen overhoop. Of misschien ben je juist niet in staat voorbij traditionele gezichtspunten te kijken, waaraan je blindelings vasthoudt. Dogmatisme en pauselijke uitspraken maken dat de kwestie muurvast zit en inflexibel wordt. Pas op anderen te bekritiseren of te beperken.

ONGEBONDEN Je bent in de ban van opstandigheid of je pretentieuze gedrag vervreemdt je van anderen. Jouw ideologie maakt je niet volmaakter dan wie ook. Conventioneel gedrag dat alleen het aardse respecteert, is je niet tot hulp. Door het spirituele aspect van dit probleem te beschouwen, zul je tot een oplossing komen.

VI TWEELINGEN

VI TWEELINGEN

DIMMI

Hoe sluiten je verlangens en de dingen die je aantrekken, volmaakt op elkaar aan? Welke keuzemogelijkheden heb je?

MAAGD EN KIND MET DE HEILIGE ANNA EN JOHANNES DE DOPER ALS KIND

ACHTERGROND Leonardo da Vinci was gefascineerd door de relatie tussen Jezus en zijn neef, Johannes de Doper. In de Evangeliën komt Jezus als volwassene naar zijn neef om door hem te worden gedoopt, maar nergens vinden we in de bijbel aanwijzingen dat de Verlosser en zijn Wegbereider elkaar als kinderen hebben ontmoet, zoals Leonardo ze hier afbeeldt. (De schildering van de linkshandige engel in *De Doop van Christus* van zijn meester Verrocchio was een van Leonardo's eerste officiële opdrachten.) De apocriefe traditie voorziet in een andere lezing van deze afbeelding, want er wordt gezegd dat Jezus nog andere broers en zusters had en dat de heilige Jacobus, leider van de vroege kerk in Jeruzalem na Jezus' opstanding, een broer van Jezus was.

Aan welke lezing we ook de voorkeur geven, we zien hier kinderen wier lot aan elkaar verbonden is voor eenzelfde doel. Jezus zal slechts een kort leven hebben, terwijl Johannes de Doper in de schaduw blijft en sterft als gevangene van Herodes Agrippa. Bij leven gescheiden, worden ze in hun gedeelde lot verenigd als degenen die het leven en de wijsheid liefhebben. Da Vinci schrijft: 'Hij die liefheeft wordt bewogen door het voorwerp van zijn liefde, zoals de zintuigen worden bewogen door wat ze waarnemen. Door zich met het voorwerp van zijn liefde te verenigen, worden hij die liefheeft en het voorwerp van de liefde één en dezelfde.' De geheven vinger van de heilige Anna herinnert de kinderen eraan dat hun lot niet louter persoonlijk is, maar in dienst staat van de liefde van de hele schepping.

ZIELSCODE Onderscheid kunnen maken is een belangrijke sleutel naar de poort van de ziel. De keuzen die de ziel in liefde maakt, scheppen gouden stapstenen op de levensweg. De volmaakte harmonie die tussen geliefden en vrienden wordt gecreëerd, verrijkt en vervolmaakt je lot en brengt het leven tot bloei door tederheid, verlangen en vertrouwen.

RECHTOP Aantrekkingskracht en verlangen leiden je naar verbintenissen en deelgenoten. Een aangeboren sympathie baant de weg voor verdere uitwisseling en mogelijke vereniging. Neem de verantwoordelijkheid voor jouw deel van de relatie. Gebruik je kennis en ervaring om te onderscheiden wat je wordt aangeboden, of welke keuzen je nu moet maken.

OMGEKEERD Een zwak onderscheidingsvermogen leidt tot onduidelijke verbintenissen en relaties die noch ware liefde, noch een sterke betrokkenheid in zich hebben. Uit verkeerde keuzen komen conflicten en misverstanden voort, en je affiniteit met bepaalde zaken blijkt mogelijk slechts oppervlakkig te zijn. Vrienden, partners of geliefden zijn niet in staat tot trouw of betrouwbaarheid, omdat ze niet bij je passen. Waarschijnlijk neem je van bepaalde mensen afscheid. Pas op voor een verleidelijk aanbod.

ONGEBONDEN Oude relaties belemmeren de weg en maken het moeilijk je met iets of iemand te verbinden. Vertrouwen krijg je niet in één dag, vooral niet als je eerder bent misleid. Test iemand in dit opzicht voorzichtig uit. Als je dit niet riskeert, blijf je alleen. Mogelijk word je beheerst door een dominante partner die al je keuzen bepaalt.

VII VERBEELDING

VII VERBEELDING

DIMMI

Waar zit je vast? Wat sleept je erdoorheen?

MAN MET BRANDGLAS EN
MYTHISCHE DIEREN

ACHTERGROND Deze kleine, maar voortreffelijke tekening laat de meer mystieke Leonardo zien, die hield van fantastische, prachtige creaties. Voor de ontvangst van koning Frans I door paus Leo X maakte Da Vinci een soort robot, een gouden leeuw die naar de koning liep en waarvan de borst opensprong en een fleur-de-lys als hart zichtbaar werd. In deze allegorie vangt de man met het brandglas zonnestralen op, die op een keur aan legendarische dieren vallen, zoals een draak met een slangenstaart, een eenhoorn, een leeuw en een beer die met elkaar vechten (N.B. niet alle dieren zijn op de kaart te zien).

Het hoofdvoertuig voor Leonardo's ideeën en uitvindingen was zijn verbeelding. Zijn visie kwam niet alleen voort uit zorgvuldige waarneming, maar ook uit zijn verbeeldingskracht. Zijn hele werk is afhankelijk van helder licht, dat kracht en betekenis geeft aan wat hij ziet. Door het brandglas van de verbeelding straalt een veelvoud van beelden. Het is duidelijk dat hij dit geloofde, want hij schreef: 'Alles wat er in het universum bestaat, of het nu in essentie, in de uiterlijke wereld of in de verbeelding is, ontwerpt de schilder eerst in gedachten en dan pas met zijn hand'. Net als het brandglas dat de zonnestralen opvangt en richting geeft, kan verbeelding de weg banen door in de ziel beelden te ontwerpen die onze fysieke waarneming en begrip kleuren.

ZIELSCODE De verbeelding is het voertuig van je bestemming waarmee je doelen kunt stellen en de inspiratie vindt om die doelen te bereiken. Als een brandglas concentreert de verbeelding zich op de ziel en voorziet het van kaarten en duidelijke instructies, waarmee je je bestemming kunt bereiken. Vasthouden aan een drijfveer houdt niet altijd in dat je snel gaat, het is goed om het landschap te bekijken waar je doorheen gaat. Neem geregeld de tijd voor herbezinning en meditatie om je route opnieuw uit te stippelen. Zo zul je op het juiste spoor blijven en de weg niet kwijtraken.

RECHTOP Aan jou is de overwinning als je je concentreert op het doel waarbij de verbeelding je stuurt. De uitvoering van plannen en het bereiken van doelen zijn nabij. Je kunt hindernissen overwinnen en nu vooruitgang boeken als je je interesses stimuleert. Mogelijk is er sprake van reizen waardoor je vooruitgang boekt of een nieuwe vestigingsplek kiest. Denk erom zelf de teugels in handen te houden en je leven te richten op een duidelijk doel. Laten dagdromen je pad niet bepalen.

OMGEKEERD Door een te groot enthousiasme en doordat je te weinig vooruitkijkt, raak je van de weg af. Dingen lopen in het honderd en plannen slagen niet door zelfoverschatting en doordat je de gevolgen niet overziet. Zet dingen op een rij. Uitstapjes werken niet goed uit, of je wordt weggeleid van wat je jezelf als doel had gesteld.

ONGEBONDEN Door te wachten tot de juiste weg voor je verschijnt, sta je alleen maar stil aan de kant. Misschien kun je je plan tijdelijk aan een reddingsvoertuig vastmaken, maar uiteindelijk zit de drijfveer die je zoekt in jezelf. Raadpleeg je verbeelding en temper haar als ze met angstaanjagende of fantastische beelden komt.

VIII KRACHT

VIII KRACHT

DIMMI
Welke sterke punten gebruik je?
Welke neigingen moet je hier wat beteugelen?

STUDIE VAN HERCULES EN DE NEMEÏSCHE LEEUW

ACHTERGROND Leonardo da Vinci leefde temidden van de *condottieri* (militaire leiders) van de Italiaanse stadstaten. Deze harde, onverschrokken mannen als Ludovico Sforza geloofden dat agressie en het meedogenloos verslaan van de vijand kracht inhield. Dit conventionele beeld van kracht en bekwaamheid zien we hier in de mythische held Hercules die, als eerste van zijn twaalf werken, de Nemeïsche leeuw overwint.

De Nemeïsche leeuw was de onoverwinnelijke vrucht van godin-slang Echidna en haar zoon, de hond Orthos. In een worsteling overwon Hercules de leeuw, waarbij hij geen knots of zwaard gebruikte. Uiteindelijk wurgde hij de leeuw. Hij was zo uitge-put door dit werk dat hij een maand lang diep sliep. Hij werd pas wakker toen de mensen meenden dat hij dood was en een ram willen offeren ter ere van de dode held. Toen hij springlevend bleek, werd de ram geofferd voor Zeus Soter, oftewel de 'Zeus die redt'. Hercules stroopte de huid van de leeuw en sneed hem de klauwen af. Ter ere van zijn halfgoddelijke zoon bracht Zeus de leeuw naar de hemelen, waar die als Leeuw zijn plaats in de dierenriem innam. Da Vinci's vermogen om met zijn eigen ambitieuze werken om te gaan, had als basis zijn flexibele aard en aanpassingsvermo-gen. Hercules en de leeuw laten zien hoe de ziel worstelt met de ervaringen van het leven en daarbij het verschil leert tussen dwang en macht, tussen leiding en liefde.

ZIELSCODE Vastberadenheid en overtuiging zijn nodig om de zielsbestemming tot het eind te volgen. Niet alles wat je onderweg tegenkomt is slecht, al kan het je uitdagen, of moet jij het uitdagen. Het vermogen je instincten te beteugelen en te combineren met je sterke punten en je compassie leidt je naar zelfkennis en opent de deur naar je bestemming. Het energetisch vermogen dingen vast te houden en te transformeren, zet het ruwe en wilde om in iets wat nuttig en beschaafd is.

RECHTOP Moed en geduld helpen je je problemen rustig onder ogen te zien. Je vermogen gepassioneerd met het leven om te gaan toomt je ongerichte en ongecontroleerde neigingen in en stemt deze op elkaar af. Omdat je zo overtuigd bent, overwin je je angsten. Je seksuele uitstraling trekt mensen aan. Door een sterke geest en een blakend zelfvertrouwen kun je goed met je problemen omgaan en raak je er niet door overspoeld.

OMGEKEERD Het werkt belemmerend als je dingen alleen uit pure wilskracht en uit woede of ongecontroleerd temperament in een bepaalde richting wilt dwingen. Anderen schrikken terug voor je overijverige benadering of trekken zich terug. Je hebt mogelijk te veel hooi op je vork genomen. Je wordt door je impulsen en instincten beheerst in plaats van dat jij hen effectief beheerst.

ONGEBONDEN Door gebrek aan enthousiasme en betrokkenheid sta je aan de kant. Een gevoel van onmacht of onverschilligheid verzwakt je positie. Je zit vast aan dominante mensen of ideologische principes die niet goed voor je zijn. Je wordt meer door bruutheid of slecht gedrag beheerst dan door liefde. Vind je eigen, innerlijke kracht terug om hier uit te komen.

IX DE HEREMIET

IX DE HEREMIET

DIMMI

Welk licht schijnt in de eenzame duisternis?
Waar wordt deze situatie door overschaduwd?

PEINZENDE OUDE MAN

ACHTERGROND Deze meditatieve, oude man is mogelijk een zelfportret van Leonardo uit 1513, een paar jaar voor hij zich in Frankrijk terugtrok. Leonardo's uitzonderlijke loopbaan zou zich niet zonder perioden van afzondering en hernieuwing hebben kunnen ontwikkelen. Naarmate hij ouder werd was hij in feite steeds minder geïnteresseerd in sociale contacten. In 1516 besloot hij naar Frankrijk te gaan, waar koning Frans I hem bij Cloux, in Amboise, in de vallei van de Loire, een huis schonk. Hier stierf hij in 1519. De Franse koning bezocht hem daar vaak. Hij was verrukt over Leonardo's talenten en betrok hem in filosofische discussies, mogelijk tot ergernis van Leonardo, die nogal zwijgzaam was tegenover al die bezoekers. Het kan zijn dat Leonardo in die tijd een beroerte heeft gehad waardoor hij één hand niet meer kon gebruiken en beperkt werd in zijn werk. Hij schrijft in zijn *Verhandeling over schilderen*: 'De schilder moet in afzondering werken en nadenken over wat hij ziet, zodat hij het beste kan kiezen uit wat hij observeert. Door als een spiegel te zijn die evenveel kleuren opneemt als er in de objecten zijn die hij voor zich heeft, zal het lijken alsof hij een tweede natuur heeft.' De oude man overpeinst in afzondering de mysteries van het leven. Ver van algemeen heersende gedachten ontdekt hij de kracht van de ziel.

ZIELSCODE Via introspectie en meditatie kun je bij jezelf te rade gaan en kom je tot kennis. Je zondert je af om het licht van de ziel te vinden en de ontwikkelingen in je lot te overdenken. Deze ogenschijnlijke stilstand is een verstandige afzondering die als tegenwicht en bron dient om weer op te laden voor hernieuwde actie, die dan geïnspireerd is door de ziel.

RECHTOP Weloverwogenheid is je beste gids. Het is niet de tijd of de gelegenheid bij anderen in het middelpunt te staan. Je moet nadenken of je concentreren zonder te worden afgeleid. Mogelijk heeft iets nog niet echt vorm gekregen en kan het daarom nog niet worden getoond of met anderen gedeeld.

OMGEKEERD Je hebt iets de rug toegekeerd of je hebt te snel open kaart gespeeld. Je hebt slecht advies gekregen. Zonder jezelf af en overweeg wat je nu het beste kunt doen. Je gedraagt je onvolwassen of wendt ervaring voor die je niet bezit. Het is nodig dat je volwassen wordt en jezelf ontwikkelt. Relaties zijn bloedeloos of saai geworden.

ONGEBONDEN Door verlegenheid of gereserveerdheid sta je aan de kant. Daardoor is het moeilijk weer op gang te komen. Van te veel voorzichtigheid word je paranoïde. Wat jij probeert te verbergen, belemmert je ook in je uitzicht. Kom weer tevoorschijn en ga contacten met andere mensen aan.

X TIJD

X TIJD

DIMMI

Waar kom je dichter bij je bestemming?
Welke kansen worden je nu geboden?

OUDERE EN JONGERE KIJKEN ELKAAR AAN

ACHTERGROND Ouderdom en jeugd overbruggen de tijd en kijken elkaar aan. Ouderdom kijkt terug, de jeugd kijkt vooruit. Als jonge man werd Leonardo als mooi beschouwd. Toen zijn schoonheid afnam en de fysieke beperkingen van de oude dag toenamen, verdiepte hij zich herhaaldelijk in het thema van het ouder worden. Zijn schetsboeken staan vol oude, tandeloze mannen, veel meer dan hij ooit voor zijn frescomodellen nodig had. Zijn aanwezigheid aan het sterfbed van een honderdjarige die waardig heenging, ontroerde hem erg en onthulde iets heel diepgaands over het raadsel van de tijd. 'Alles wat mooi is aan de mens, is vergankelijk en heeft niets blijvends.' Leonardo haalde Ovidius aan toen hij schreef 'O Tijd, die alles opslokt! O afgunstige ouderdom, je verwoest en verslindt stukje bij beetje alles met de wrede tand des tijds, in een langzame dood.' Hij citeerde het middeleeuwse gezegde: 'Als Fortuna komt, houd haar dan trefzeker bij de voorkant vast, want van achteren is ze kaal'. Er werd geloofd dat de Romeinse godin Fortuna kaal was en dat ze alleen diegenen hielp die snel handelden als zich een kans voordeed.

Wie het moment laat voorbijgaan, riskeert verlies of vernietiging. Mensen die in vervoering raken door de kans die de tijd hun geeft, kunnen even snel weer terneergeslagen raken. Als kinderloze man liet Leonardo alleen zijn aantekenboeken en schilderijen aan de wereld na. Hij had bewonderaars, maar er waren in zijn tijd geen kunstenaars die hem konden opvolgen. Als we trouw zijn aan het moment dat zich voordoet, zijn we trouw aan de ziel.

ZIELSCODE Kansen, gelegenheid en een juiste timing zijn de factoren die, gecombineerd, geluk brengen. Niets ligt vast voor degene die van moment tot moment leeft en alles afweegt in het licht daarvan. Dan wordt het lot beleefd, een tijdloze schat die erop wacht door jou te worden gevonden. Hoewel de ziel vele malen wordt geboren, is ze trouw aan de belofte van haar bestemming.

RECHTOP Geluk is je deel als je afstemt op het levensritme. Je bent onderdeel van veel meer gebeurtenissen waarvan deze situatie in het middelpunt staat. Netwerken zorgen voor verdere verspreiding. Promotie en kansen banen de weg naar nieuwe dingen. Dingen gaan beter en bereiken een hoogtepunt.

OMGEKEERD Dingen zitten in de war. Je wordt wrokkig omdat je pech hebt en kansen mist. Het leven is onvoorspelbaar. Als er geen leven meer in je plannen zit, moet je het juiste moment afwachten om opnieuw met de uitvoering ervan te beginnen.

ONGEBONDEN Je wordt geregeerd door dwang die je meesleurt in gebeurtenissen waaruit alleen jijzelf je kunt terugtrekken. Deze situatie ligt niet voor eeuwig vast en is evenmin onvermijdelijk. Kijk naar uitwegen in het patroon waarin je vastzit.

XI ERVARING

XI ERVARING

DIMMI

Hoe wordt je integriteit door ervaring geïnspireerd?
Waar moet je in deze situatie rechtvaardig of onpartijdig zijn?

MEISJE WIJST MYSTERIEUS IN DE VERTE

ACHTERGROND Deze tekening uit de laatste jaren van Leonardo da Vinci laat een meisje zien dat mysterieus naar onbekend gebied wijst. Ze spoort ons aan om de waarheid in de ervaring te onderzoeken. Voor Leonardo die zichzelf 'discipel van de ervaring' noemde, was alleen de ervaring 'de gemeenschappelijke moeder van alle kunsten en wetenschappen'. In de natuur, en door alledaagse ervaringen te observeren, kon een kunstenaar leren waar het allemaal om draaide. Zij die niet van rechtstreekse observatie en ervaring leerden, leefden louter in een leugen, meende Leonardo.

Het verband tussen ervaring en waarheid maakte wezenlijk deel uit van Da Vinci's filosofie. In zijn boeken citeert hij het spreekwoord dat de 'Waarheid altijd als de enige dochter van Tijd is beschouwd'. Hij meende dat 'het buiten kijf staat dat waarheid en leugen als licht en schaduw zijn. Zelfs als het om iets kleins en onbeduidends gaat, bezit de waarheid zo'n voortreffelijke kwaliteit dat die de onzekerheden en leugens rondom verheven, belangrijke zaken te boven gaat. Waarheid zal altijd de belangrijkste bron voor een intelligente geest zijn, wat niet kan worden gezegd van een versnipperd bewustzijn.' Via de waarheid en door lering uit ervaring was Da Vinci in staat zijn kunst zo levendig en bezield te maken. Dit meisje wijst mysterieus naar gebieden die Leonardo nog onbekend waren, het mysterie na de dood. Als een maagdelijke meesteres moedigt zij hem aan het gebied te verkennen, waarover nog nooit iemand iets verteld heeft. Hij heeft ons het werk nagelaten dat voortkwam uit zijn ervaring en zijn strijd voor de waarheid.

ZIELSCODE Ervaring is de scheidsrechter die de zielsbestemming beheerst en in balans houdt. Ervaring helpt je te bepalen in welke situatie je je bevindt. Door middel van zowel je zintuigen als je geweten — of het onderscheidingsvermogen van je ziel — kun je je levensweg op een integere manier bewandelen, terwijl je je bewust bent van anderen die naast je lopen. Ervaring helpt je de waarheid van je ziel te eren.

RECHTOP Waarheid heeft de overhand. Balans en billijkheid maken je plan harmonieus. Eerlijkheid en integriteit bepalen de juistheid van een zaak. Je innerlijke rechtvaardigheidsgevoel blijkt juist. Dingen keren zich ten gunste van jou. Overeenkomsten, contracten en juridische zaken hebben een resultaat dat je verdient.

OMGEKEERD Er gebeurt iets heel onrechtvaardigs, maar kijk waar je zelf over de schreef bent gegaan waardoor het kon gebeuren. Een innerlijk vooroordeel kan omslaan in kritiek en buitensporige strengheid. Daaruit kunnen juridische complicaties voortkomen, of valse beschuldigingen die je reputatie aantasten.

ONGEBONDEN Ervaring heeft je geleerd dat je afwacht of geen partij kiest. Maar je kunt niet altijd neutraal blijven en weglopen voor het leven. Je moet volledig betrokken zijn in je zoektocht naar de ideale situatie. Een gevoel van onrechtvaardigheid of eerverlies houdt je in zijn greep.

XII OVERGANG

XII OVERGANG

DIMMI
Welke eisen stelt het lot? Wat wordt er van je gevraagd?

EEN STUDIE VAN CHRISTUS VOOR HET FRESCO
VAN HET LAATSTE AVONDMAAL

ACHTERGROND Leonardo da Vinci voltooide het fresco *Het laatste Avondmaal* tussen 1495 en 1498, in wat zijn beschermheren een 'slakkengang' noemden. Er moesten voor alle twaalf discipelen modellen worden gevonden die eerst geschetst en later werden geschilderd. Maandenlang kon hij geen geschikt model voor Judas vinden. Zijn nauwgezette precisie suggereert dat hij trachtte ook zichzelf te doorgronden. Had hij soms woorden uit *De goddelijke verhouding* in gedachten, een studie over de Gulden Snede die zijn mentor in de wiskunde, Luca Pacioli, had geschreven? Pacioli beschrijft slechts dertien 'effecten' van de Gulden Snede, want, schrijft hij, 'omwille van de verlossing moet de lijst ophouden'. Er zaten maar dertien mannen aan de tafel van het Laatste Avondmaal.

De bedachtzame Christus, gezeten aan het Laatste Avondmaal, weet heel goed dat Judas, als werktuig van zijn lot, hem zal verraden. Hij bereidt zich voor op de overgang van leven naar dood om de wereld te redden. De joden gedenken tijdens de maaltijd van het Pascha hun bevrijding uit Egypte. Christus' viering van dit feest houdt voor christenen in dat hij twee nieuwe geboden heeft gegeven, namelijk elkaar liefhebben en hem gedenken tijdens de avondmaalviering. Zijn laatste moment onder de mensen, wanneer hij omringd is door zijn discipelen, heeft een oneindige indringendheid. Zwevend tussen leven en dood, en zich zijn lot volledig bewust, keert Christus zich naar binnen om de rust voor overgave te vinden en van de menselijke staat over te gaan naar de goddelijke.

ZIELSCODE Overgave is het middel van de ziel om de innerlijke bestemming te volgen. Door beproevingen en onheil leer je het ware licht te ontdekken dat naar herborenheid leidt. Spirituele keerpunten worden aangekondigd door een verwarrende mengeling van angst en kalmte. Door rustig aandacht te schenken aan het moment, door te luisteren naar wat er van je wordt verwacht, kan een gevoel van innerlijke leiding je de juiste weg wijzen.

RECHTOP Je wordt naar een beslissend moment geleid waar geen sprake lijkt te zijn van echte keuze. Bekijk vanuit een ruimer gezichtsveld wat er van je wordt gevraagd. Je zult zien dat het niet om opoffering gaat, maar om instemming met een diepgaande verandering. Je hoeft niets op te geven om je wens in vervulling te laten gaan.

OMGEKEERD Een sterke onwil om af te wijken van je eigen agenda beperkt je kansen. Door te veel gefixeerd te zijn op een lot dat je zelf hebt bepaald of dat volgens anderen bestaat, kun je tussen werkelijkheid en illusie zweven.

ONGEBONDEN Voortdurend uitstel geeft je het gevoel vast te zitten in een situatie. Verplichtingen en onjuiste beslissingen, genomen uit opportunisme, hebben je nog steeds in hun greep. Wiens lot ben je aan het vervullen?

XIII DE DOOD

XIII DE DOOD

DIMMI

Wat is je tot last of belemmert de weg?
Wat moet je achter je laten in deze kwestie?

CHRISTUS MET DOORNENKROON

ACHTERGROND Het thema van Christus die voorafgaand aan zijn dood wordt bespot, zien we maar zelden in Da Vinci's werk. Het is opvallend dat hij in een tijdperk van traditionele, religieuze kunstbeoefening geen opdrachten aannam om een piëta of kruisiging te schilderen. Het dichtst bij een weergave van Christus' offer is *Het laatste Avondmaal* en het christuskind in de *Madonna van de garenklos*. Hier houdt het kind de spoel van zijn moeder, in de vorm van een kruis, in de hand alsof het naar zijn lot uitreikt. In zijn 'profetieën' schreef Leonardo over de verkoop van kruisen en andere symbolen van kruisiging en martelaarschap voor in huis op een toon van iemand die tegen de vereeuwiging van martelwerktuigen is: 'Ach, wie zie ik? De Verlosser, die nogmaals wordt gekruisigd.' Je kunt je voorstellen dat iemand die schrijft 'Ik zie Christus verkocht en nogmaals gekruisigd worden, en al zijn heiligen die opnieuw worden gemarteld', zulke symbolen zelf niet in huis had.

De dood van Christus aan het kruis is uiteraard geen weergave van de dood als een einde, maar als een voltooiing van de menswording en het instrument om de dood te overwinnen. De pointe van deze afbeelding is de redding van de mensheid door het lijden van de Verlosser die de dood ondergaat, zodat deze geen angst meer inboezemt. In de vreemde leegte tussen de kruisiging op Goede Vrijdag en de opstanding op Paaszondag, daalt Christus neder in de hel en bevrijdt hij de rechtvaardigen, die zo lang hebben gewacht, van hun ketenen. Deze verwerkelijking van de dood en de overwinning ervan spreekt treffend van zowel Leonardo's eigen gevoel van onsterfelijkheid als van zijn geloof in de compassie van het humanisme.

ZIELSCODE De dood herinnert je op een indringende manier aan de kracht van het opnieuw worden geboren. Dit is nodig om de ziel naar haar bestemming te laten gaan. Het eeuwig voortduren van oude cycli belemmert de levensenergieën vrij te stromen en staat groei in de weg. Verval en dood ruimen op wat overwoekerd is of wat niet tot bloei kan komen. Door het leven toe te staan terug te keren, is de dood de dienaar van alles wat leeft.

RECHTOP Er is een bevrijding, het verjagen of ophelderen van kwesties die met problemen beladen waren. Iets is voorbij en er kan iets nieuws beginnen. Opluchting en bevrijding maken alle dingen nieuw. Dingen transformeren en je komt in een nieuwe cyclus terecht.

OMGEKEERD Er is weerstand om dingen te veranderen. Stagnatie en traagheid leggen dingen stil. Het gevoel van bedreiging, problemen of angst verdwijnt maar niet. Door de angst voor onheil of verlies te koesteren, door een pessimistische instelling laat je de huidige cyclus voortduren.

ONGEBONDEN Je verlangt naar bevrijding, maar houdt tegelijkertijd iets achter waardoor de cirkel niet kan worden doorbroken. De plek waar je hebt gewoond, voelt meer dood dan levend aan. Ga terug naar de basis, verwijder wat niet essentieel is en je zult je erdoorheen slaan.

XIV GEMATIGDHEID

XIV GEMATIGDHEID

DIMMI

Hoe breng je balans in tegenstellingen?
Wat moet in deze kwestie worden aangepast?

EEN ALLEGORIE OP DE HERMELIJN

ACHTERGROND We zien hier de hermelijn in zijn witte wintervacht. Leonardo da Vinci beeldt hier het mythische hoofdattribuut van de hermelijn af, waarvan wordt gezegd dat hij liever doodgaat dan dat hij zijn witte vacht bevuilt. In zijn aanteken-boek schrijft hij: 'Door zijn gematigdheid geeft de hermelijn zich nog liever aan jagers over opdat zijn zuiverheid behouden blijft, dan zijn toevlucht in een modderig hol te zoeken.' Deze allegorische afbeelding van de hermelijn die liever doodgaat dan een vuile witte vacht te riskeren, geeft het renaissancistische beeld van Gematigdheid en zelfrespect weer. In een van de eerste Italiaanse, aan Andrea Mantegna toegeschreven tarots die de vijftiende eeuw overleefden, beeldt de kaart van Gematigdheid, een van de zeven hoofddeugden, een hermelijn af, symbool van zuiverheid en vastberadenheid. Op de kaart van Mantegna kijkt de hermelijn in een spiegel om zijn zuiverheid te inspecteren.

Leonardo's eigen gematigdheid was spreekwoordelijk onder zijn collega's. Toen hij ouder werd, at hij volledig vegetarisch, wat heel bijzonder was voor het vleesetende Italië en dus velen opviel. In een brief van Andrea Corsali aan Giuliano de Medici schrijft hij: 'Er zijn mensen, de zogeheten Guzzarati [Gujurati] die elk voedsel weige-ren waar bloed in zit. Ze hebben met elkaar afgesproken geen enkel levend wezen kwaad te doen, net als onze Leonardo da Vinci.' De hermelijn van de gematigdheid werd afgebeeld in een van Leonardo's treffendste portretten, dat van Cecilia Gallerani, de maîtresse van Ludovico Sforza, die een tamme hermelijn in haar armen wiegt. De hermelijn verwijst hier woordelijk naar haar naam, want *galé* is Grieks voor hermelijn.

ZIELSCODE Het vermogen te bemiddelen tussen tegengestelden of tussen de aardse wereld en het bovenaardse is een eerste vaardigheid die de ziel op het pad van het lot houdt. Door noch jezelf te overschatten noch te nederig te zijn, blijf je in balans. Er komen transformerende veranderingen, als je uiterlijke omstandigheden combineert met spirituele begeleiding.

RECHTOP Matiging en geduld in combinatie met discipline en orde helpen dingen in vervulling te laten gaan. Misschien moet je een manier vinden tegengestelden te verzoenen of moet je bemiddelen tussen twee extremen in deze kwestie. Alles wat je nodig hebt, ligt binnen handbereik, als je maar de vereiste combinatie, aanpassing of samenvoeging kunt maken. Als je jezelf bescheiden en waardig gedraagt, zul je anderen niet beledigen en zal er balans ontstaan.

OMGEKEERD De situatie is uit balans of loopt uit de hand. Tegengestelde elementen zullen niet samenwerken of vermengen. Misschien kunnen bepaalde dingen of mensen niet bij elkaar komen zonder wederzijds verlies van zelfrespect. Communiceren kan moeilijk zijn als meningsverschillen voortduren. Misschien heb je het gevoel dat iets aan je aandacht ontsnapt of houd je jezelf afzijdig.

ONGEBONDEN Door onenigheid en ruzie voel je je kwetsbaar of misschien schuldig. De energie van twist en strijd tolt nog in je rond. Als je weinig zelfrespect hebt, keer dan naar je zielscode terug voor bemoediging, en val terug op je innerlijke integriteit en ervaring.

XV PIJN EN PLEZIER

XV PIJN EN PLEZIER

DIMMI

Waaraan zit je vastgeketend?

Waardoor word je in deze kwestie beheerst?

TWEE MANNEN, BIJ HUN MIDDEL VERBONDEN

ACHTERGROND Deze heel merkwaardige afbeelding krijgt in Leonardo da Vinci's aan-tekenboek de volgende beschrijving: 'Hier zijn pijn en plezier bij elkaar. Ze worden als tweelingen afgebeeld omdat ze nooit van elkaar gescheiden zijn. Ze staan met de rug tegen elkaar omdat het tegengestelden zijn binnen hetzelfde lichaam. Ze hebben dezelfde ondergrond, want de oorsprong van plezier ligt in barenspijn en de oor-sprong van pijn ligt in ijdelheid en wellust. Plezier heeft een riethalm in de rechter-hand die nutteloosheid en gebrek aan kracht symboliseert.' Zijn tweelingbroer heeft een gesel in de hand, die pijn verbeeldt.

We zien dat Leonardo hier opnieuw het thema tweelingen uitwerkt, maar dit paar is volkomen tegengesteld aan de afbeelding op VI Tweelingen. Je kunt niet om de ver-ontrustende sadomasochistische ondertoon van deze afbeelding heen. In Leonardo's woorden zit mogelijk een ondertoon van kritiek op en afkeer van zichzelf. Het feit dat hij blijft schrijven over de lichamelijke geneugten in bed die 'onmogelijke dingen in de verbeelding laten opkomen' en die 'het leven doen mislukken' duidt op de eenzame kunstenaar die uit angst voor ontdekking of intimiteit zijn genot alleen beleeft. Zijn gevangenneming op jonge leeftijd wegens homoseksualiteit, die tot een veroordeling en de dood had kunnen leiden als hij streng vervolgd was, moet hem als een ernstige waarschuwing zijn bijgebleven en hem voorzichtig hebben gemaakt in seksuele aange-legenheden. Als we de munt van plezier oppakken, betalen we ervoor met de zweep van pijn.

ZIELSCODE Verlangens houden het lichaam geketend en de ziel in pijn, waardoor die haar lot niet kan volgen. Gebrek aan vrijheid heeft plaats op het verbindingspunt tussen pijn en plezier. Je wordt door genot voortgestuwd, maar dit brengt pijn met zich mee en een onvermogen om te functioneren of vooruit te komen. Als genot de spil in je leven is, wordt de vrije stroom van het lot een meedogenloos rad van noodlot, waaraan je door je eigen verlangens bent geketend.

RECHTOP Beperkingen, onethische principes of verlammende afhankelijkheid hebben oorzaken die niet worden erkend. Hebzucht en het gif van op jezelf gerichte verlangens beïnvloeden je gedrag en beheersen je integriteit. Je zoekt dingen op die destructief zijn. De schuld op anderen projecteren weerhoudt je niet van gemeen gedrag en handelingen die anderen ongelukkig maken.

OMGEKEERD Je wordt bevrijd uit de banden die je gevangen hielden in een vreselijk gevoel van slavernij. Je hebt de wil en vastberadenheid om verleidingen en neigingen van jezelf en anderen te overwinnen, die jou in het verleden deden afdwalen. Door angst uit te bannen, vind je de kracht om energiek en oplettend te leven.

ONGEBONDEN Het gevoel dat anderen tegen je zijn, of jou isoleren, is niet helemaal terecht. Wat ook de oorzaak is van je angst, door je antipathie blijf je eraan verbonden. Hoe verder je wegloopt, hoe waarschijnlijker het is dat je geïsoleerdheid wordt gevoed door een soort zelfdestructie. Bekijk alles opnieuw en hervind je zelfrespect.

XVI ZONDVLOED

XVI ZONDVLOED

DIMMI
Waardoor word je in deze situatie gesteund? Wat moet ophouden?

DE AARDE WORDT DOOR STORMEN
EN GROTE GOLVEN GETEISTERD

ACHTERGROND In deze studie van een storm vinden we een van Leonardo's grootste fascinaties: de elementen van de natuur. Zijn belangstelling voor overstromingen en de zondvloed van Noach was zowel geologisch als theologisch van aard. Als er, zo vroeg hij zich af, diep ingebed in bergen en heuvels duidelijke mariene afzettingen waren, wat zijn dan theologisch gezien de gevolgen voor het verhaal van de schepping in zes dagen? Deze wijze van redeneren zou als ketters kunnen worden beschouwd en daarom richtte hij zijn overpeinzingen maar op apocalyptische natuurkrachten.

Leonardo's humanisme werd wat riskanter toen hij ouder werd, omdat de kerk toen de contrareformatie inzette. Het onwrikbare gezag van de kerk had door de komst van het protestantisme een flinke klap gehad. De kerk zou waarschijnlijk minder tolerant staan tegenover in haar ogen ketterse neigingen van geleerden en kunstenaars. Veel van Leonardo's aantekenboeken laten tekeningen van verwoestende natuurkrachten en rampen zien. Hij maakte uitgebreide beschrijvingen bij dergelijke studies, die 'duisternis, wind, zeestormen, overstromingen, bosbranden, bliksemstralen, aardbevingen, instortende bergen en verwoeste steden' laten zien. Deze beschrijvingen horen bij bestaande tekeningen, waarbij Leonardo zich 'de angstkreten in 't nachtelijk duister' voorstelt, 'gesmoord door de woedende donder en bliksemschichten die door de lucht flitsen en verwoestende regen brengen'. Als we het leven zonder enige gematigdheid leven, zullen we de gevolgen ondervinden van wat we ongewild hebben bewerkstelligd.

ZIELSCODE Verandering door reiniging maakt de weg van het lot schoon voor de ziel. Deze pijnlijke schoonmaakactie baant de weg naar verlichting, al is dat mogelijk niet meteen zichtbaar als je er middenin zit. Deze verandering breekt je trots en neemt weg dat je te veel op jezelf en je middelen steunt.

RECHTOP Onverwachte verandering, een enorme klap, of de ineenstorting van iets wat je stabiel achtte. Maar wat opperste vernietiging schijnt, is eigenlijk het uitwissen van iets wat niet meer van nut is voor je. Je zwakheden komen aan het licht en je valt diep. Zet alles op een rij en zie in dat deze gebeurtenis de overgang is naar een andere fase in je leven.

OMGEKEERD De doorbraak of verandering komt maar niet. Dingen gaan niet zoals je wilt, maar je maakt er het beste van. In deze moeilijke periode doe je er goed aan actief mee te werken om de verandering te versnellen. Laat dingen los die stagnerend werken.

ONGEBONDEN Als jij de katalysator bent geweest in een doorbraak, blijf je door je gevoel van boosheid of zelfingenomenheid wispelturig reageren. Of misschien ben je door iets of iemand zo gekwetst dat je je terugtrekt uit het leven. In beide gevallen zit je vast in de rol van de partij die beschuldigt en aanklaagt. Zoek naar de diepst liggende oorzaak in deze kwestie, vergeef mensen en ga verder.

XVII DE WEGWIJZER

XVII DE WEGWIJZER

DIMMI

Waar gaan dingen vloeiend?
Waar ontluikt iets?

JOHANNES DE DOPER

ACHTERGROND Johannes de Doper was de beschermheilige van Florence, wat misschien deels verklaart waarom Leonardo hem zo vaak tekende en schilderde. Op 24 juni wordt nog steeds het Feest van de Onthoofding van Johannes de Doper gevierd. De mysterieus wijzende vinger van Johannes wijst de weg voor allen die met zichzelf hebben geworsteld en de storm hebben doorstaan. Johannes de Doper is niet de boodschap zelf, maar de boodschapper van degene die komt. Hij is een 'getuige naar het licht', aldus het evangelie van Johannes. Hij is de 'roepende in de woestijn' die de komst aankondigt van Jezus, wiens schoen hij niet waard is vast te maken. Deze woorden spreekt hij als hij zijn neef Jezus in de Jordaan doopt, in een wel heel openlijke toejuiching van de Verlosser. Nadat Johannes in opdracht van Herodes' vrouw gevangen was gezet, komen zijn volgelingen hem vragen of Christus de ware Messias is. Hij antwoordt dat Christus moet groeien en hij, Johannes, minder moet betekenen, omwille van de wereld.

In hoeverre Da Vinci zichzelf als een voorloper beschouwde, weten we niet. Veel van zijn ontwerpen en visies waren hun tijd ver vooruit. Het vermogen de gevolgen van onze handelingen te voorzien, is als het licht van de sterren die honderden lichtjaren van ons verwijderd zijn. Nadat ze zijn uitgedoofd, worden we nog door hun stralen verlicht.

ZIELSCODE Hoop is de overtuiging waarmee de ziel naar haar bestemming reist. Naarmate je leert de tekens en boodschappen te volgen die je hoop geven, richt je je naar de ster van je bestemming en kunnen zijn goedgunstige stralen op je vallen. Daardoor komen er subtiele boodschappen je hart binnen die nieuwe inspiratie geven. Na moeilijke tijden kun je je weer met nieuwe inzichten en vol plezier op het pad van je bestemming begeven.

RECHTOP Hoop steekt je een hart onder de riem. Je vooruitzicht is vol belofte. Je krijgt de bevestiging dat je op de juiste weg bent, of je inspiratie wordt door anderen gestaafd. Daardoor kun je nog toegewijder zijn en breng je vernieuwing in zieltogende situaties en relaties. Ga op een natuurlijke, ontspannen manier om met je gaven in plaats van hen tegen te werken.

OMGEKEERD Bezieling en inzicht ontbreken momenteel. Er lijkt weinig hoop te zijn, en wensen raken verre van vervuld. Misschien ben je in jezelf teleurgesteld of heb je je als een verwend kind gedragen en daarmee anderen naar beneden gehaald en beledigd.

ONGEBONDEN Je hebt je gaven en talenten ingezet voor mensen die ze niet op waarde schatten. Zoek een evenwichtiger benadering waardoor je je gaven gaat waarderen en geen paarlen meer voor de zwijnen werpt. Je verdient beter.

XVIII ONTVANGENIS

XVIII ONTVANGENIS

DIMMI

Wat vertellen je dromen je? Wat weet je intuïtief over deze kwestie,
ongeacht de uiterlijke schijn?

LEDA EN DE ZWAAN, WANNEER DE
MENSELIJKE VRUCHT VAN HUN SAMENZIJN
UIT HET EI KRUIPT

ACHTERGROND De afbeelding van de mythe van Leda's vereniging met Zeus in de gedaante van een zwaan, markeerde een opvallende breuk in kunstopvattingen. Tot de Renaissance waren religieuze onderwerpen de juiste keuze voor kunstenaars. Na de val van Constantinopel in 1467 bloeide de belangstelling op voor de klassieke kunst, architectuur en wetenschap. Kunstenaars keken niet terug op middeleeuwse of christelijke bronnen, maar herontdekten de klassieke wortels van de Italiaanse cultuur.

Da Vinci maakte vele studies van Leda. Mogelijk fascineerde het idee van de vrucht uit mens en vogel hem. Hij beschrijft een herinnering dat 'ik in de wieg lag en een wouw die boven mij fladderde, opende met zijn staart mijn mond en sloeg mij meermalen met zijn vleugels'. Zou deze vroege ervaring de oorzaak zijn van zijn verlangen om te vliegen? Als hij een oudere bron dan de christelijke theologie over verlichting aanboort, schrijft Da Vinci: 'De maan heeft van zichzelf geen licht. Zij leent het van de zon, die het deel van de maan verlicht dat naar hem toegekeerd is.' De ontvangenis van Leda's kinderen uit zwaneneieren, het kroost van Jupiter (Zeus) als Zwaan, laat zien wat de zoektocht naar ons onsterfelijk lot kan voortbrengen.

ZIELSCODE Dromen zijn het resultaat van een vlucht die de ziel over het gebied van onze bestemming maakt. Als je wakker wordt, kun je je alleen de symbolen, metaforen en codes herinneren, die als wegwijzers op je pad staan. Bekijk ze rustig, beeld je niets angstigs in als je ze onderzoekt, zie ze niet als vaststaande krachten die je lot achtervolgen. Elke dag ontvangt de ziel iets anders, net als de maan. Er is groei, dus de weg wordt duidelijker en je intuïtie neemt toe.

RECHTOP Dromen uit schemerig gebied brengen tekens of (voor)gevoelens die je angst inboezemen of in verwarring brengen. De mogelijkheden van dit project zijn nog niet helemaal tot ontplooiing gekomen. Zoek je eigen tempo en tijdstip van je unieke scheppende vermogen in plaats van het wordingsproces te verhaasten. Je pad lijkt duister of verborgen, maar vertrouw op je instinct en beproef de weg terwijl je voortwandelt.

OMGEKEERD Breng jezelf niet in verwarring door tekens dogmatisch en letterlijk, in plaats van intuïtief, op te volgen. Je bent je niet bewust van de mogelijkheden van deze situatie, of je koestert er irreële, opgeblazen ideeën over. Dingen gaan waarschijnlijk veranderen. Ga niet mee in aantrekkelijk ogende, maar ongefundeerde plannen die meer beloven dan ze waar maken.

ONGEBONDEN Je bent teleurgesteld of naar onveilige gebieden gelokt. Misschien ben je beschaamd of in je hemd gezet door een gevaarlijke verhouding die een bepaalde wending heeft genomen. Hierdoor raak je in het schemerige gebied van wantrouwen of ongenade, waar alles en iedereen je lijkt te kwetsen. Gebruik elke nieuwe dageraad met zonneschijn om deze sfeer om je heen te verdrijven.

XIX GEBOORTE

XIX GEBOORTE

DIMMI

Welk licht schijnt er op je?

Wat wordt er nu geboren?

STUDIE VOOR DE AANBIDDING DER KONINGEN

ACHTERGROND De *Aanbidding der Koningen* was een van Da Vinci's eerste opdrachten. De afbeelding is op een raadselachtige manier onvoltooid. De grote belofte die ervan uitgaat en de originele behandeling van het onderwerp zijn niet afgemaakt. Deze glorieuze *Aanbidding der Koningen* verkondigt de geboorte van Christus als Zoon der Mensen, een van de benamingen van de Verlosser (de traditionele tarotnaam voor XIX is de Zon). Theologen beschouwden de geboorte van Christus als de zon die opkomt boven de duisternis. Da Vinci werd vaak naar dit thema getrokken, maar de *Aanbidding der Koningen* is zijn meest glorieuze afbeelding van de geboorte.

Als ultieme lichtbron was de zon voor Leonardo beslist goddelijk. Hij schrijft: 'Ik ga met het licht om, precies zoals de Heer, die het Licht van alles is, mij vrijelijk verlicht.' En: 'De warmte en het licht van het universum zijn afkomstig van de zon'. En honderd jaar voor Galileï schrijft hij dat 'de zon niet beweegt'. Hij merkte op dat 'de zon substantie, beweging, glans, hitte en een scheppende kracht bezit: al deze krachten komen er onbelemmerd uit'. Badend in het zonlicht van de verlossing, gaat de ziel naar de ultieme verlichting.

ZIELSCODE Vreugde is de natuurlijke toestand van de ziel als deze is afgestemd op haar lot. Vreugde brengt glans op het pad naar je bestemming en maken je stappen licht. Alles werkt samen ter vermeerdering van je geluk als je zonder angst of verontschuldigingen je unieke plek in het universum inneemt. Als je je aangeboren gaven belichaamt, schijnt de ster van je lot door je heen. Dit licht kan ook op de mensen om je heen schijnen en mensen bemoedigen die de hoop hebben opgegeven.

RECHTOP Door vreugde en welzijn voel je je jong, tevreden of gelukkig. Je kunt dingen bezien vanuit een verfrissend en optimistisch standpunt. Dingen brengen je voldoening en succes. Je bezit de energie en het enthousiasme om dit plan te doorzien of om geluk en verlichting op andermans weg te brengen. Wees verrukt over deze periode van overvloedige kansen.

OMGEKEERD De verwachte vreugde blijft uit. Je gevoel van plezier is mat, of de erkenning en het succes die je zocht, zijn niet zo beschikbaar als je had gehoopt. Misschien ben je te uitgeput om te genieten van het uitstel of de kans die je wordt geboden. Relaties die gelukkig behoorden te zijn, zijn in een toestand gekomen waarin je elkaar wederzijds gedoogt.

ONGEBONDEN Je trots om wat je bereikt hebt, wordt overschaduwd door het succes van anderen, of je wordt kwetsbaar doordat je beloften niet nakomt die je in goed vertrouwen deed. Ervaringen uit het verleden kleuren je zelfbeeld en hinderen de kansen van het moment. Maar het is niet helemaal donker. Kijk naar de horizon en verwelkom de vreugde en de verlichting die je vrijelijk wordt gegeven.

XX VERNIEUWING

XX VERNIEUWING

DIMMI

Wat is bewustwording? Hoe word je vernieuwd?

GEKROONDE ADELAAR STAAT OP DE WERELDBOL

ACHTERGROND De oorsprong van deze allegorie is onbekend, hoewel wordt gesuggereerd dat Leonardo da Vinci hier paus Leo X als een wolf wilde afbeelden (op de volledige tekening zit de wolf aan de linkerkant in een boot) en koning Frans I van Frankrijk als de keizerlijke adelaar. De krachtmeting tussen koning en paus was de aanleiding dat Leonardo zich uit Italië terugtrok. Frans I was zo door zijn genialiteit geboeid, dat hij hem vroeg voorgoed in Frankrijk te komen wonen. Op de volledige tekening stuurt de wolf de boot met een kompas, waarop de stralen uit de kroon van de adelaar vallen. Dit suggereert dat de wolf de wil van de adelaar uitvoert. Daarnaast kunnen we denken aan Psalm 103:5, waar staat dat '[God] uw mond verzadigt met het goede, en uw jeugd vernieuwt als een arend'. Dit vers is gebaseerd op het geloof dat de adelaar elke tien jaar een compleet nieuw verenkleed krijgt nadat hij, door krachtig in het water te duiken, zijn oude veren is kwijtgeraakt. Het duurde verscheidene weken voor de nieuwe veren verschenen. In deze periode moest de adelaar op God vertrouwen.

Deze raadselachtige allegorie heeft nog een andere lezing, namelijk die van wedergeboorte van geloof en cultuur in de Renaissance zelf. Alle dingen werden heroverwogen in het licht van een herwaardering van oude en traditionele concepten, in een combinatie van heilige, christelijke en esthetische, klassieke idealen.

ZIELSCODE De metamorfose van een levenloos lichaam naar een geïncarneerde ziel markeert de volledige cyclus van dood en wedergeboorte. De veranderingen die plaatshebben onthullen een nieuw beeld dat alles beïnvloedt. De gekroonde adelaar die over de wereld triomfeert, onthult de vernieuwing die door de hele wereld wordt ervaren als één ziel zijn bestemming trouw is. Door trouw te zijn aan je roeping, volg je het pad van je bestemming in toewijding en verwondering.

RECHTOP Er heeft transformatie plaats. Je ontwaakt in een periode van vernieuwing. Door een boodschap, oproep of roeping kun je je gaven gestalte geven. Na een lange periode van inactiviteit, stilte of duisternis, kun je opnieuw je vleugels in de wereld uitslaan door te handelen, voor jezelf te spreken en je gaven tot ontwikkeling te laten komen.

OMGEKEERD Het is zinloos weerstand te bieden aan veranderingen die aan de gang zijn. Hoewel iets geliefds voor je verloren gaat, is dit de juiste tijd oude conventies achter je te laten. Waar het ene raam dichtgaat, gaat een ander open. Als je deze verandering verwelkomt, hoef je je niet meer druk te maken om de gevolgen van vroeger genomen, onzekere besluiten. Stop met tijdrekken en luister naar de aansporing uit je diepste ziel, die je naar vernieuwing leidt.

ONGEBONDEN Uitsluiting en vervreemding zijn obstakels die je zelf opwerpt als je vasthoudt aan vergelding en revanche. Maar wie oordeelt, zal worden geoordeeld. Het is het moment om te vergeven zodat je uit de boeien van wrok, schaamte of plichtsgevoel wordt bevrijd. Dwaal niet af door meningsverschillen en onenigheid.

XXI DE WERELD

XXI DE WERELD

DIMMI

Wat wordt vervolmaakt?

Hoe raakt deze situatie aan elk wezen van de macrokosmos?

VITRUVIAANSE MAN IN VIERKANT EN CIRKEL

ACHTERGROND Op 30 november 1504, toen hij 52 jaar oud was, schreef Leonardo da Vinci de raadselachtige woorden: 'Op de avond van Sint Andries voltooide ik de vierkante cirkel'. Deze opmerking betrof zijn levenslange belangstelling voor geometrische berekeningen, een studie die hij begon om het geschrevene op de deur van de school van Plato te kunnen waarmaken: 'Laat niemand zonder kennis van geometrie hier binnengaan'. We vergeten hoe ongeschoold Leonardo aanvankelijk was. Om niet ten onder te gaan in een wereld van kennis en cultuur, leerde hij zichzelf geometrie vanuit intense, precieze waarneming.

De klassieke architect Vitruvius was zijn mentor als het op volmaakte verhoudingen aankwam. Leonardo citeert hem: 'Als je je lengte met een veertiende laat toenemen door je benen te spreiden en je armen te strekken, zodat je middelvingers ter hoogte van je kruin zijn, dan zal je navel het middelpunt van een cirkel zijn, en raken de uiteinden van je ledematen de cirkelomtrek'. De volmaakte verhoudingen van de Vitruviaanse man met gestrekte armen en benen, het hoofd trots geheven, omvat het universum in harmonie en vrijheid. In de vierkante cirkel van de macrokosmos laat deze figuur zien hoe de mens de totaliteit van de microkosmos vertegenwoordigt, zoals Leonardo zichzelf uitstrekte om tot de grenzen van zijn bestemming te gaan. De bedelaar die deze lange reis als de Dwaas begon, is uiteindelijk vrij van onwetendheid. Zoals Leonardo schreef: 'Het is gemakkelijk om jezelf universeel te maken'.

ZIELSCODE Volmaaktheid in expressie is de vervolmaking van de bestemming van de ziel. Wanneer de macrokosmos volmaakt wordt weerspiegeld in de microkosmos, weet je dat je levenswerk op de meest schitterende wijze wordt bevestigd. Er is een extatische eenheid van lichaam en ziel, een zo harmonieuze dans van compleetheid, dat velen in de cirkel komen en het antwoord in hun eigen bezieling vinden. De ziel werkt niet alleen voor het eigen ik, maar voor het welzijn van de hele macrokosmos.

RECHTOP Alles komt op de meest bevredigende manier tot integratie, begrip en volledigheid. Je bent erdoorheen, je hebt de zege behaald. Je komt nu in je vrijheid zonder beperkingen. Je plannen bereiken het gunstigste punt, dus handel nu je de kans krijgt.

OMGEKEERD Gebrek aan reacties op iets wat is afgemaakt of bereikt, stelt je teleur. Je moet het echter niet persoonlijk opvatten. De invloed gaat dieper en reacties gaan nog komen. Misschien ontdek je dat je niet hebt gekeken naar de invloed van je plannen op de hele wereld. Zet je ego opzij en werk voor het welzijn van iedereen.

ONGEBONDEN Je zoektocht naar volmaaktheid heeft jou en je plannen naar de rand verdrongen, buiten de betoverende cirkel van succes. Je hoeft echter alleen maar je superieure trots op te geven en de wrok die je koestert omdat je genegeerd bent, om acceptatie en goedkeuring te vinden.

4
MICROKOSMOSKAARTEN

DE MINDER ZICHTBARE WERELD

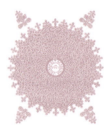

'De mens werd in vroeger tijden terecht "de microkosmos" genoemd, want de mens bestaat uit
aarde, water, lucht en vuur; net als de planeet zelf.'

LEONARDO DA VINCI

AAS van LUCHT LUCHT

AAS *van* LUCHT

LUCHT

DIMMI
Wat zijn je bedoelingen?

STUDIE VAN DONKERE WOLKEN BOVEN DE ZEE

ACHTERGROND Leonardo schreef over de lucht: 'Het veranderende temperament van de wind is te zien in het stof dat in vlagen en wervelingen omhoog wordt geblazen... en door vlaggen van schepen die verschillende kanten op wapperen.'

ZIELSCODE Duidelijkheid van de bedoeling is een deugd die de ziel eeuwig beschermt. Een alerte geest wordt niet in verwarring gebracht door de vele bochten in de weg naar de bestemming, maar herkent leugens en misleidende signalen. De waarheid is een zwaard in je hand, waarmee de kwetsbaren worden beschermd en de wegen van het leven zonder angst kunnen worden opengehouden.

RECHTOP Concentratie en een scherpe geest helpen je om te slagen. Duidelijke bedoelingen en vastberadenheid kunnen je er doorheen slepen. Als je opkomt voor je rechten, zul je onweerstaanbaar zijn. Wat je ambitie ook is, ga er nu voor!

OMGEKEERD Gebruik je verstand en concentreer je op wat van belang is. Je bent omgeven door vijandigheid en agressie, maar geweld is niet het antwoord. Zoek liever de duidelijkheid van de waarheid dan de prikkel van kritiek. Ambities blijven rusten.

ONGEBONDEN Haastige beslissingen kunnen tot zelfvernietiging leiden en dingen verknoeien. Bij te weinig grenzen kunnen tegenstanders en gelukzoekers binnenkomen. Let zorgvuldiger op jezelf en zoek verbinding met de spil van je wil.

TWEE *van* LUCHT

RESPECT

DIMMI
Waar is de balans van respect?

SCHETS VAN TWEE PAARDEN EN RUITERS

ACHTERGROND Leonardo denkt na over de bronnen van de beschaving: 'Goede cultuur is het kind van een goede ordening... een goede ordening zonder cultuur moet dus hoger worden gewaardeerd dan een goede cultuur zonder de noodzakelijke ordening.'

ZIELSCODE Wederzijds respect maakt het voor de ziel gemakkelijker haar bestemming te volgen. Je kunt je pad vastberaden volgen en toch aan ieders welzijn denken als je beide kanten in aanmerking neemt. Door elkaar niet te af te troeven, door respect te tonen voor ieders waardigheid, kunnen meningsverschillen worden opgelost.

RECHTOP Wederzijds respect kan een ruzie beslechten. Onderhandel over wapenstilstand en wacht met vijandigheden om te horen wat de ander te zeggen heeft. Door bronnen samen te voegen en onpartijdig te zijn, kan het algemeen welzijn worden verbeterd.

OMGEKEERD Partijdige gevoelens van streberigheid kunnen zaken in onbalans brengen. Iemand probeert in een goed blaadje bij je te komen, of jij wilt iemand die je niet respecteert, neerhalen. Plannen zitten in een impasse. Vrede is niet waarschijnlijk als je niet luistert naar wat anderen te zeggen hebben.

ONGEBONDEN Ambivalentie en besluiteloosheid ontstaan door het gevoel te worden ondergewaardeerd of niet begrepen. Je hebt jezelf afgesloten om niet te worden beïnvloed. Tegenstanders zijn misschien eerder uitdagers van je terugtocht dan werkelijke vijanden.

DRIE *van* LUCHT

BEPROEVINGEN

DIMMI

Waarom treur je? Wat is pijnlijk?

STUDIE VAN ST SEBASTIAANS MARTELAARSCHAP

ACHTERGROND Sint Sebastiaan werd martelaar tijdens het bewind van keizer Diocletiaan, die beval hem met pijlen ter dood te brengen. Leonardo schreef over de indruk die dit verlies maakte: 'Elke beproeving laat verdriet achter in het geheugen.'

ZIELSCODE Verdriet tempert de geest door de confrontatie met pijn en verlies. De dingen waar de ziel naar hunkert, zijn soms onbereikbaar of op mysterieuze wijze weggenomen, maar wraak is geen antwoord. Als je probeert naar je bestemming te streven, zul je merken dat scheiding je concentratie versterkt en je vastbeslotener maakt.

RECHTOP Uit verlies komt verdriet voort. Beproevingen maken datgene stuk wat je bijeen probeert te houden. Verlies, hartzeer of scheiding brengen verdriet; onenigheid, ruzie of echtbreuken brengen pijn en moeilijkheden.

OMGEKEERD Afleidingen en verwarring halen je leven overhoop; de concentratie is moeilijk vast te houden. Verlies van vroeger echoot nog in je ziel, maar je kunt het laten gaan want er komen nieuwe verbindingen. Pas op voor vergelding door schuldgevoel te projecteren.

ONGEBONDEN Gescheiden van wat vreugde brengt, lijd je aan emotionele verlamming. Intens verlies of verlangen kan geestelijke verwarring veroorzaken. Blijf niet eenzaam de martelaar uithangen, maar zoek een vriend om te helpen bij het verwerken van je verdriet.

VIER *van* LUCHT

RUST

DIMMI
Wat voor rust of groeiende ruimte is nodig?

STUDIE VAN HANDEN IN RUST

ACHTERGROND Sommige experts menen dat deze studie is bedoeld voor een verloren gegaan schilderij met de titel *De dame van Lichtenstein*. De beschermende linkerhand vormt een echo van het universele gebaar van een jonge, net zwangere moeder.

ZIELSCODE Uitstel na moeilijkheden biedt de ziel mogelijkheid tot opheldering en het lichaam rust. Zonder perioden van rust en helend herstel, kan het pad der lotsbestemming een slaafse tredmolen lijken. Verwijder de oorzaken van stress tijdens deze periode van rust door te mediteren en dromen en gedachten te observeren.

RECHTOP Er is rust en ruimte voor bespiegeling nodig. Dit is een tijd om te herstellen of aandacht aan je gezondheid te besteden. Vrede en helderheid bereik je in eenzaamheid. Trek je terug uit het dagelijks leven en laat je werk even voor wat het is.

OMGEKEERD De periode van herstel is voorbij. Het is tijd je zaken weer in ogenschouw te nemen voordat anderen dat gaan doen. Wees op je hoede en spring zuinig om met je bronnen en je uithoudingsvermogen.

ONGEBONDEN De ongrijpbare rust waarnaar je hebt gestreefd kan niet komen zonder de geesteshoudingen van verbindingen, waardoor je bent overspoeld tijdens je stilstand. De winter is voorbij en de lente is onderweg. Laat de doden gaan.

VIJF *van* LUCHT

WEDIJVER

DIMMI

Waarom, en hoe, probeer je gelijk te krijgen?

SCHETS VAN TWEE VECHTENDE MANNEN

ACHTERGROND Door Leonardo's lage dunk van de menselijke natuur schreef hij bitter: 'Je ziet wezens die elkaar voortdurend bevechten met de vreselijkste verliezen en regelmatig doden aan beide kanten.'

ZIELSCODE Wedijver schaadt de ziel want hij vernietigt anderen en hindert het pad naar de bestemming. Twist en onenigheid verbergen een dieper liggende kwaadwilligheid waardoor onbewust veel van onze acties worden aangestuurd. Gelijkhebberigheid haalt de andere persoon naar beneden.

RECHTOP Onenigheid en moeilijkheden zijn waarschijnlijk. Iemand probeert te profiteren van je positie, of deze over te nemen. Onethische tactieken en smerige trucs zorgen dat je op je hoede blijft. Je wint een gevecht maar de overwinning is amper de moeite waard. Als je op je strepen staat, komt er zeker ruzie.

OMGEKEERD Je wordt achtervolgd door onzekerheid. Er hangt verraad in de lucht. Pogingen tot verzoening lopen spaak. Graaf dieper om wat begraven ligt naar boven te halen, want het zal alles veranderen. Onderzoek zorgvuldig de motieven.

ONGEBONDEN Anderen delen je diepste overtuigingen niet. Onderzoek de praktische gevolgen van je inzichten; misschien zijn ze te abstract. Je gevoel van eerverlies kan worden rechtgezet doordat iemand zich verontschuldigt of door dingen los te laten.

ZES *van* LUCHT

BLOEI

DIMMI
Door welke overtuigingen en houdingen word je geblokkeerd
of gesteund?
STUDIE VAN VIOOLTJES

ACHTERGROND Deze studie van viooltjes is een van de vele botanische tekeningen van Leonardo. Terwijl hij zijn rusteloze leven in ogenschouw neemt, vraagt hij: 'Waar zal ik mijn plaats innemen? Binnenkort zul je het weten.'

ZIELSCODE Het vermogen gevaren op afstand te houden of nieuwe perspectieven te zoeken vanaf een neutraal standpunt, helpen de ziel erachter te komen wat moet worden veranderd. Het pad naar de bestemming kan worden geblokkeerd door oude overtuigingen, ideeën en houdingen, of worden opgesplitst in doodlopende wegen. Het viooltje vindt altijd een geheime plek om veilig te bloeien.

RECHTOP Je ademt makkelijker als je gevaren achter je laat. Je vindt een weg langs of via het gevaar of je blijft op een afstand ervan. Bepaal welke zaken of levenshoudingen van belang voor je zijn, en neem deze mee.

OMGEKEERD Vertragingen zetten je vast. Er moet iets worden veranderd om de bestaande situatie in beweging te zetten. Kijk beter naar de geboden mogelijkheden. Let op vooroordelen en onderzoek oude overtuigingen.

ONGEBONDEN Door op een geschikte manier met dingen om te gaan, worden de omstandigheden nauwelijks veranderd. Door moeilijkheden te vermijden blijf je besluiteloos. Maak plannen voor verandering of een ontsnappingsroute.

ZEVEN *van* LUCHT

ACTIE

DIMMI
Wat moet er worden ondernomen?

ZEVEN *van* LUCHT
ACTIE

STUDIE VAN HET KINDJE JEZUS

ACHTERGROND In Leonardo's notities komt een onbekend incident met een krachtige broodheer voor: 'Toen ik een kindje Jezus afbeeldde, zette u me gevangen. Als ik hem laat zien als volwassene, krijg ik dan een strengere straf?' Misschien houdt dit verband met zijn arrestatie wegens homoseksualiteit in 1476.

ZIELSCODE Actie komt voort uit nieuwe ideeën en wordt het voertuig voor de ervaringen van de ziel. De hoop die je ondernemingslust stuurt, geeft vertrouwen op het pad naar de bestemming. De acties van het lichaam helpen de bedoelingen van de ziel te verklaren. Als de twee zijn verbonden, is er een gevoel van onoverwinnelijkheid.

RECHTOP Nieuwe ondernemingen brengen hoop en vertrouwen. Het actief uitwerken van je verlangens helpen oude verliezen te compenseren of ergens van te herstellen. Vertrouw op wat je doet en blijf overeind.

OMGEKEERD Je moet oppassen dat je niet wordt gepakt. Je kunt in een vertrouwenscrisis terecht komen. Het advies van iemand weerhoudt je actie te ondernemen, of misschien ben je te voorzichtig.

ONGEBONDEN Je probeert iets waardevols terug te vinden en te laten werken, maar het heeft zijn kracht verloren. Als je inzit over persoonlijke fouten, blijf je in het verleden steken. Het is tijd om naar het heden te gaan.

ACHT *van* LUCHT
BEPERKING

ACHT *van* LUCHT

BEPERKING

DIMMI
Waardoor worden de beperkingen om je heen overwonnen?

MAN IN VERTICALE VLIEGMACHINE

ACHTERGROND Leonardo was geobsedeerd door de aërodynamica van vliegen: 'De man in een vliegmachine moet vrij zijn... Het is beter om niet door ijzeren banden te worden tegengehouden, maar door een harnas van leer en zijden touwwerk.

ZIELSCODE Als de ziel is ingeperkt, moet ze terugkeren naar het hoofddoel van haar bestemming en over beperkingen en hindernissen heen vliegen. Zulke initiatierites houden de vastbeslotenheid scherp en laten je zien waar je moet standhouden.

RECHTOP Er zullen moeilijke momenten komen die om flexibiliteit vragen. In al deze conflicten en beroering word je door gewoonten, overtuigingen of verplichtingen beperkt. Kalmte en verstand zijn nu je beste vrienden.

OMGEKEERD Je bent in een positie om de Gordiaanse knoop van de huidige impasse door te hakken. Hard werken en de daaropvolgende moeilijkheden kunnen worden vermeden door onconventionele middelen toe te passen of origineel te werk te gaan. Improviseer je een weg door de beperkingen.

ONGEBONDEN Vijandige kritiek heeft je aangedaan of je bevindt je in een impasse door negatieve gedachten over jezelf. Als je geïsoleerd raakt van hulpbronnen, beschouw je jezelf te veel als slachtoffer. Roep om hulp en luister naar goede raad.

NEGEN *van* LUCHT

GEVAAR

DIMMI
Waar ben je bang voor? Wil je vechten of vluchten?

ENORME KANONNEN VUREN EEN SALVO AF

ACHTERGROND Leonardo's wetenschappelijke belangstelling voor voortstuwing gaat verder dan onderzoekingen van wat kanonnen vermogen: 'Kijk hoe lang een steen, afgeschoten met een kanon, zijn beweging volhoudt.' Maar hij merkt ook op: 'Degene die bang is voor gevaren, lijdt er niet onder.'

ZIELSCODE Angst is vergif voor de ziel. De beste manier om te blijven reizen langs de weg naar de bestemming, terwijl er veel angst en gevaar is, is je richten op de kracht die het leven ondersteunt. Als het gaat om vechten of vluchten, moet de noodzaak te overleven worden afgewogen tegen de mogelijkheid gewond te raken. Het is geen schande om gevaar te vermijden, maar sommige situaties vragen om opofferingen.

RECHTOP Je wordt belaagd door angsten en gevaren. Bezorgdheid houdt je waakzaam. Blijken van geringschatting en vroegere ervaringen beheersen je gedachten en kleuren alles. Wees op je hoede, maar laat je niet door angst overheersen.

OMGEKEERD Angst en depressie gaan voorbij. Je wordt aangemoedigd en geholpen. Redelijke angsten kunnen reëel zijn. Besteed direct aandacht aan je twijfels en zorgen.

ONGEBONDEN Irrationele angsten en morbide fantasieën nestelen zich in je ziel. Verdrijf deze door hun oorsprong te onderzoeken, ze aan het daglicht bloot te stellen, waar ze zullen verdampen. Zoek psychologische hulp of genezing.

TIEN *van* LUCHT

STRAF

DIMMI

Wat zul je moeten opgeven?

HET OPGEHANGEN LICHAAM VAN EEN

MOORDENAAR

ACHTERGROND In april 1478 werd de broer van Lorenzo de Medici bruut vermoord. Eén moordenaar, Bernardo di Bandino, vluchtte en verborg zich maar hij werd gevangen genomen en in het openbaar opgehangen aan de Bargello.

ZIELSCODE De ziel staat bloot aan uiteenvallen en overgave om datgene te kunnen vernieuwen wat geen doel meer heeft. Als iemands levenspad de integriteit van de bestemming heeft doorkruist, is er altijd een rechtvaardige afweging. Als de belofte en het contract van het leven zelf is gebroken, breekt het voertuig van het leven open om het gif weg te laten vloeien.

RECHTOP Er is pijn en teleurstelling. Er komt een crisis en een einde. De strijd is voorbij of anders is zij vruchteloos; het is tijd om datgene wat niet terugkomt te laten gaan. De problemen die je hebt gezaaid, steken de kop op.

OMGEKEERD Het gaat beter. Je hebt het overleefd en je komt er doorheen. De stress begint af te nemen. De druk die op je lag, wordt minder.

ONGEBONDEN Wat spiegel je jezelf voor? Je wordt gevangen gehouden door zelfmedelijden en acceptatie van schuld. Het is tijd het oude verhaal om te buigen en nieuwe mogelijkheden te onderzoeken.

SCHILDKNAAP *van* LUCHT

SCHILDKNAAP
van LUCHT

DIMMI
Waar moet je voor uitkijken?

SCHETS VAN EEN JONGELING

ACHTERGROND Deze snel uitgevoerde schets van een jonge man kan een van de vele leerlingen voorstellen die Leonardo's pigmenten klaarmaakten, zijn atelier schoonmaakten en de principes van het kunstenaarsvak leerden.

ZIELSCODE Waakzaamheid is de dienaar van de ziel; zij laat je veilig reizen over het pad naar de bestemming. Wat er ook voor beproevingen en uitdagingen op je wachten, je bent erop voorbereid en je zult je lichamelijke en geestelijke krachten gebruiken. Door alle benaderingen in ogenschouw te nemen, ben je een dienaar van de heiligheid van het leven zelf.

RECHTOP Inzicht en waakzaamheid helpen je om datgene te vinden wat verborgen is. Er is wel planning nodig. Blijf opletten en blijf in conditie; misschien moet je snel improviseren. Misschien is er nieuws over onderhandelingen van contracten.

OMGEKEERD Je trekt je terug voor krachtige oppositie in plaats van het voor jezelf op te nemen. Gebruik inventiviteit en snedigheid om te voorkomen dat je je zwak voelt. Er komen onvoorziene moeilijkheden. Iemand houdt je in de gaten.

ONGEBONDEN Wantrouwen en een verdedigende houding zorgen dat je buiten de actie blijft staan. Schadelijke roddels of de neiging om te twisten, maken sociale omgang lastig. Je voelt je kwetsbaar. Het helpt als je je beter voorbereidt.

RIDDER *van* LUCHT

RIDDER *van* LUCHT

DIMMI

Wat moet je verdedigen of waarvoor moet je vechten?

SCHETS VAN EEN MAN OP
EEN STEIGEREND PAARD

ACHTERGROND Deze uitvoering van een krijger die zijn vijand overwint, was bedoeld voor het monument van de broodheer van Leonardo, Ludovico Sforza. Leonardo schrijft: 'Degene die weigert om het kwaad te bestraffen, laat het toe.'

ZIELSCODE Het is nobel om idealen hoog in het vaandel te houden, want de ziel is net zo goed gepantserd als het lichaam. De krijger die het zwaard hanteert of een tong die zich roert voor anderen, zijn beiden voorzien van een doeltreffend wapen. Je nobele verdediging van de zwakken beschermt de belangrijkste principes van het leven.

RECHTOP Moed en vaardigheid zijn je kenmerken. Je bent gewend om voorop te gaan in de strijd. Pas wel op dat je jezelf niet verwond – of anderen. Er is iets wat moet worden gered, of je hulp is ergens nodig.

OMGEKEERD Vermijd wraak. Het draait in het leven niet om vergelding. Ongeduldigheid en fanatisme kunnen je onbekwaam en verward maken. Toom harde woorden en beschuldigingen in.

ONGEBONDEN Je ideeën zijn met je op de loop gegaan en slepen je met hen mee. Je gaat door zonder op tegengesteld advies te letten. Als slachtoffer van onrecht is het misschien beter je terug te trekken dan te streven naar eerherstel.

DAME *van* LUCHT

DAME *van* LUCHT

DIMMI
Wat is er echt aan de hand?

STUDIE VAN EEN VROUW MET EEN KAP

ACHTERGROND Leonardo tekende deze onbekende jonge vrouw tussen 1485 en 1490. Ze kan de echtgenote zijn van een bediende. Hij schrijft: 'Het lijkt geen kleinigheid voor een schilder om zijn onderwerpen een aangename bevalligheid te verlenen.'

ZIELSCODE Onderscheidingsvermogen kan voortkomen uit de ervaringen tijdens de reis langs het pad naar de bestemming. De tegenslagen, verliezen en teleurstellingen van het leven geven je een scherp oog en zorgen dat je efficiënt met dingen kunt omgaan. Als een wijze rechter en eerlijke hoeder van onafhankelijkheid, ben je een moeder van het leven die praat als een vriend.

RECHTOP Gebruik je goede onderscheidingsvermogen om in het hart van de dingen te kijken. Bied je raad of oordeel aan. Put uit je moeilijke ervaringen om dingen te verbeteren in plaats van de pijn naar het heden mee te nemen.

OMGEKEERD Je scherpe constateringen en snelle woorden kunnen pijn veroorzaken; laat medeleven niet wegduwen door kritiek en censuur. Door teleurstelling en zorgen kun je te hard zijn voor jezelf. Stel je grenzen.

ONGEBONDEN Door alles vanuit het standpunt van je verlies te bekijken, vergiftig je alles. Door bitterheid word je aangemoedigd je te wentelen in verdriet. Hoe langer je aan de zijlijn staat, hoe meer je door wraak en boosheid wordt gestuurd.

HEER *van* LUCHT

HEER *van* LUCHT

DIMMI
Hoe moet je kracht temperen met eerlijkheid?

STUDIE VAN CESARE BORGIA

ACHTERGROND Cesare, de onwettige zoon van paus Alexander VI, was een briljant sol-daat en meedogenloze manipulator wiens motto luidde 'Aut Caesar, aut nihil' – 'Keizer van niets'. Leonardo diende hem in 1502.

ZIELSCODE Nauwkeurige aandacht voor details en discipline geven vorm aan de ver-storingen en problemen van het leven. De kracht om het pad van de ziel te bevelen, ligt in jouw handen; als je tenminste op een intelligente manier naar je bestemming blijft kijken. Een onvermogen tot empathie kan macht veranderen in meedogenloos-heid en wreedheid. Als je anderen rechtvaardig leidt, ben je een vader van al het leven.

RECHTOP Evalueer dingen met kracht en autoriteit; redelijkheid helpt je om te zien wat eerlijk en juist is. Besteed aandacht aan principiële zaken. Gebruik je onderschei-dingsvermogen zorgvuldig. Beperk je verliezen door opofferingen te doen.

OMGEKEERD Nietsontziende doeltreffendheid kan jou of anderen beperken. Als je jezelf niet spaart, kun je anderen weinig bieden. Pas op wie je kleineert, je kunt iemand vernietigen. Lees de kleine lettertjes zorgvuldig.

ONGEBONDEN Teleurstelling over het systeem en angst voor corruptie of onrecht zorgen dat je je verschuilt of jezelf boven de wet plaatst. Als je overhoop ligt met je eigen autoriteit, kun je jezelf niet recht in de ogen kijken.

AAS van VUUR
VUUR

DIMMI

Wat is je creatieve plan?

EEN STUDIE VAN EXPLODERENDE ROTSEN

ACHTERGROND Leonardo schreef: 'Vuur vernietigt leugens en misleidingen, herstelt waarheid en verdrijft duisternis. Het is het licht, verbanner van de duisternis die alle essentiële dingen verbergt.'

ZIELSCODE Creatieve passie is de manier van de ziel om enthousiasme en energie voor de giften van de bestemming teweeg te brengen. Dit heilige vuur verlicht de weg als alles donker lijkt. Zijn stralen verdrijven twijfel en verkeerde observaties. De gave van creativiteit is een bevel om te leven en zo goed mogelijk je best te doen.

RECHTOP Er is veel creatieve energie. Uit een gelukkig begin kan een nieuw project opbloeien. De geboorte van een idee wordt snel gevolgd door mogelijkheden om het te ontwikkelen en te manifesteren. Er hangt magie in de lucht en een gevoel van avontuur.

OMGEKEERD Enthousiasme zonder goede voorbereiding leidt tot problemen en geeft een valse start aan een te vroeg begin. Je ideeën gaan verder dan je mogelijkheden. Besteed meer tijd achter de tekentafel.

ONGEBONDEN Omdat je niet in staat bent te beginnen, blijven je dromen in het luchtledige hangen. Je bent afgewezen en kunt niet opnieuw beginnen. Berust niet in onverschilligheid want de energie die je ideeën voedt, is ook de brandstof voor je leven.

TWEE *van* VUUR

RICHTING

DIMMI
Wat is hier bereikt?

HET EMBLEEM VAN EEN KOMPAS
VERBONDEN AAN EEN STER

ACHTERGROND Dit embleem wordt omschreven als een onwankelbare koers, begeleid met de woorden: 'degene die aan deze ster is verbonden zal niet omkeren'. De betekenis hiervan is dat de drager ervan geen moeilijkheden ondervindt als hij koers houdt.

ZIELSCODE Volwassenheid van de ziel neemt toe door vertrouwen in het bestemde pad, en door de gaven die je hebt gekregen te gebruiken. Als je wordt beschenen door het licht en de energie van de ster van je bestemming, wordt de weg onthuld en gaan nieuwe deuren voor je open. De wind kan draaien, paden kunnen worden overwoekerd, maar de naald wijst naar je bestemming.

RECHTOP Je hebt het vermogen je idealen waar te maken, als je dapper genoeg bent deze te volgen. Je volwassen kijk op de zaak geeft het leven een duidelijke stijl en invloed. Ondernemingen verdienen uitbreiding.

OMGEKEERD Dingen kunnen onverwacht compleet veranderen of doodlopen. Te ambitieuze ideeën, of trots op je eigen verrichtingen, kunnen je in het stof doen bijten.

ONGEBONDEN Je voelt je tegengehouden of klein door diegenen die meer macht hebben dan jij. Als je jezelf minderwaardig voelt, moet je in contact zien te komen met de gaven die je ongetwijfeld hebt meegekregen. Volg de oogst aan mogelijkheden.

DRIE *van* VUUR

MATRIX

DIMMI
Wat heb je verwekt? Wat is klaar om te worden geboren?

EEN FOETUS IN DE BAARMOEDER

ACHTERGROND Dit buitengewone beeld van een ongeboren kind kwam voort uit de anatomische ontledingen van Leonardo. Zijn conclusie: 'Deze twee lichamen worden beheerst door dezelfde ziel en delen dezelfde verlangens, angsten en zorgen.'

ZIELSCODE De ziel begint een hachelijke onderneming als zij een lichaam tot voertuig kiest. Vanaf het onzekere begin van de conceptie en geboorte tot de laatste stappen op het pad van de bestemming, zijn moed en visie vereist. Je kunt nooit zeker zijn dat de dingen gaan zoals je hoopt, maar het geduldige vertrouwen dat je in de baarmoeder hebt geleerd, zal je helpen.

RECHTOP Scherpzinnigheid en initiatief brengen je ondernemingen op gang en goede connecties helpen bij de voortgang van je creatieve vermogen. Je hebt moed en durf nodig. Hoe je plannen worden ontvangen, ligt niet in jouw handen.

OMGEKEERD Pas op voor hulp van mensen met een verborgen agenda. Verzeker je ervan dat te grote afhankelijkheid van connecties geen problemen oplevert. Voorzie alles en wees voorzichtig. Plannen kunnen fout gaan.

ONGEBONDEN Aan de zijlijn terecht gekomen door je eigen gebrek aan ondernemingslust, zie je hoe anderen zichzelf de markt in prijzen. Nu is het tijd voor nieuwe creatieve ideeën.

VIER van VUUR
VIERING

VIER *van* VUUR
VIERING

VIER *van* VUUR

VIERING

DIMMI
Wat is de reden van de viering?

SCHETS VAN DANSENDE MUZEN VAN GRATIËN

ACHTERGROND Leonardo was ook musicus; hij bespeelde de lier, of *lyra de braccio*. Over muziek schrijft hij: 'De bevalligheden van het lichaam kunnen worden bekeken in verschillende harmonische ritmes die, in sterven en geboren worden, de ziel van de mens verheugen.'

ZIELSCODE Viering is een heilige plicht voor de ziel en laat toe dat het pad van de bestemming wordt gezegend door blijdschap en het gezelschap van vrienden. Rituele en traditionele vieringen zijn er niet alleen voor jouw genoegen, soms zijn de goden uitgenodigd om deel te nemen in de geneugten van het leven.

RECHTOP Voorspoed biedt je de kans beloningen te delen met anderen. Relaties bloeien en herenigingen geven vreugde. Je kunt je ontspannen in terugkerende vieringen. Beleef plezier aan ontspanning en heilige viering.

OMGEKEERD De vroege belofte van je project is niet ingelost. Onzekerheid kenmerkt je stappen. Relaties werken niet. Sociale bijeenkomsten zijn geen succes, want er mist iets. De tijd van ontspanning is voorbij.

ONGEBONDEN Hoewel iedereen om je heen het naar zijn zin heeft, voel jij je buitengesloten. Sociale verplichtingen maken je somber, verlegen of tactloos. Zorg voor een overgangsrite om er doorheen te komen.

VIJF *van* VUUR
STRIJD

DIMMI
Welke strategie is nodig om dit conflict te beslechten?

SCHETS VAN EEN VELDSLAG

ACHTERGROND De verschillende oorlogen om de heerschappij over de Italiaanse stadsstaten zorgden voor veel onrust in het leven van Leonardo. Hij gaf veel veldslagen weer, waaronder het verloren gegane fresco van de slag bij Anghiari.

ZIELSCODE Op het pad der bestemming zijn conflicten niet te vermijden. Worstelingen om ruimte voor je ziel te verkrijgen zijn noodzakelijk, anders word je aan de kant geschoven. Door de vele mogelijkheden te onderzoeken, en door het gebruik van humor en defensieve strategieën, maak je de weg voor je vrij. De twisten die niet kunnen worden opgelost, worden aan arbitrage onderworpen.

RECHTOP Er is concurrentie en je moet strijden om je positie vast te houden. Slimheid is hierbij je voornaamste wapen. Degenen die met je samenwerken hebben erkenning nodig, anders kan er vijandigheid ontstaan.

OMGEKEERD Twisten en rechtszaken zijn waarschijnlijk. Er zijn verwikkelingen rondom een huidig project. Er zijn dingen veranderd door sabotage of tegenwerking van binnenuit. Vervolging en aantijgingen kunnen je moeilijkheden bezorgen.

ONGEBONDEN Als het moeilijk wordt, trek je je terug. Ruziënde kinderen, groepsdruk of conflicten op het werk zorgen voor verwarring en vermoeidheid. Kies geen partij, maar blijf kalm en neutraal.

ZES van VUUR
OVERWINNING

ZES *van* VUUR

OVERWINNING

DIMMI
Wat is er bereikt?

STUDIE VAN HET TRIVULZIO-MONUMENT

ACHTERGROND De overwinning van de Italiaanse huurling Gian Giacomo Trivulzio, die Milaan veroverde namens het Franse leger, zou met dit monument worden gevierd, maar de Fransen werden verdreven en het werk bleef steken.

ZIELSCODE De blije triomf van de overwinning mag het feit niet verdoezelen dat dit slechts een slag is in een langer gevecht om je bestemming te bereiken en op koers te blijven. Maar de verwezenlijking van verlangens en hoop bemoedigt wel de ziel. Pas op dat je niet op een voetstuk stapt of je verheugt over het verlies van anderen.

RECHTOP Of het nu een grote overwinning is of gewoon goed nieuws, je hebt een overwinning behaald en een wens in vervulling laten gaan. De beloning is het gevoel dat je goed werk hebt geleverd. Je hebt een gevoel van kracht en je beseft dat je voor-uit bent gegaan.

OMGEKEERD De triomf duurt maar even. Nu kan het alleen maar bergafwaarts gaan. Er is leiderschap vereist om de zaak te redden. Alles is weer uitgesteld en vertraagd. Als dit zo doorgaat zal de beloning te verwaarlozen zijn.

ONGEBONDEN Angst voor succes vertraagt de reis van je ziel. Misschien wil je niet in de schijnwerpers of trek je je eerder terug dan nodig is. Als anderen je vernederen, kan het tijd zijn van paarden te wisselen.

ZEVEN *van* VUUR

SUCCES

DIMMI
Wat is in jouw voordeel? Wanneer moet je opgeven?

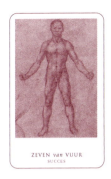

ZEVEN *van* VUUR
SUCCES

STUDIE VAN EEN NAAKTE MAN MET BEESTEN

ACHTERGROND Deze krachtige studie houdt verband met het verhaal van Herakles en de leeuw van Nemea, net als de kaart van VIII Kracht. Uit zijn behandeling van de musculatuur blijkt duidelijk dat Leonardo anatomische studies heeft verricht.

ZIELSCODE De ziel moet voortdurend hindernissen overwinnen. Het pad naar de bestemming is niet zonder rivaliteit, problemen en confrontaties. Soms gaat succes ten koste van het uithoudingsvermogen of heeft verlies van medestanders tot gevolg door jaloezie of onenigheid. Je kunt niet voor eeuwig het voordeel behouden zonder agressief te worden.

RECHTOP Winst en succes zijn waarschijnlijk. Hoewel er zeer veel hindernissen en uitdagingen lijken te zijn, ben jij in het voordeel. Je moet al je slimheid gebruiken bij het winnen van discussies of onderhandelingen.

OMGEKEERD Als je twijfelt uit schaamte of besluiteloosheid, kan dat verlies betekenen. Je wordt in het nauw gedreven door je defensieve houding. Misschien voel je je ongemakkelijk of overrompeld. Als je aarzelt, zullen anderen de boel overnemen.

ONGEBONDEN De hindernissen lijken onoverkomelijk en je vermogens worden door twijfel aangetast. Je kunt niet bij iedereen populair blijven als je geen partij kiest. Neem een besluit; ook als je daardoor een paar vijanden krijgt.

ACHT *van* VUUR
========

BAAN

DIMMI
Waarop richt je je intenties?

PLAN VOOR EEN MEERVOUDIGE KATAPULT

ACHTERGROND De tekening is een voorbeeld van een van de vele ontwerpen voor militaire machines. Deze meervoudige katapult met de mogelijkheid om snel te vuren, bleef steken in de ontwerpfase.

ZIELSCODE De baan van het pad van de ziel wordt ontdekt door enthousiasme en ontvankelijkheid, die snelle progressie mogelijk maken. Je bestemming kun je echter gemakkelijk missen door slechte observatie en ongericht enthousiasme, zodat je de pijlen van je onstabiele verlangens kunt oprapen van de grond. Bepaal je weg door op de tekens te letten en op de samenvallende gebeurtenissen die jouw kant opkomen.

RECHTOP Er worden snelle vorderingen gemaakt; beslissingen op korte termijn zijn gewenst. Er is voldoende enthousiasme voor wat je wilt ondernemen, maar pas op dat je niet te veel haast hebt. Overschat je mogelijkheden niet.

OMGEKEERD De zaken lopen uit de hand en er wordt energie verspild. Je snelle vooruitgang kan jaloezie tot gevolg hebben. Er komen ruzies en meningsverschillen. Reputaties met meer gewicht dan de jouwe worden aangetast door roddel.

ONGEBONDEN De beperkingen waar je last van had, worden plotseling verwijderd, maar interne twijfel zorgt voor vertraging en leidt tot meer stagnatie. Het is tijd om weer in beweging te komen — maar ga zorgvuldig te werk.

NEGEN *van* VUUR
WEERSTAND

NEGEN *van* VUUR
WEERSTAND

DIMMI
Wat voor problemen verwacht je? Hoe ga je ermee om?

PLAN VOOR EEN MANIER OM AANVALSLADDERS
AF TE WEREN

ACHTERGROND In de woelige tijd waarin Leonardo leefde, zou dit eenvoudige appa-
raat dat ladders kon afweren, als een praktische oplossing kunnen worden beschouwd.

ZIELSCODE De ziel moet waakzaam blijven als er moeilijkheden worden verwacht.
Verstandige inschatting van risico's en voorzichtigheid helpen om het pad naar de
bestemming vrij te houden; je moet niet worden overmand door onredelijke angst
voor gevaren of het gevoel niet adequaat te zijn toegerust. Met goede voorzieningen
en overtuiging kun je tegenstanders afweren.

RECHTOP Er komen moeilijkheden aan, maar je hebt de tijd om je erop voor te bereiden. Er is goede planning en discipline vereist. Schat de risico's in. Plannen worden
aangevallen; maak gebruik van alle mogelijke middelen.

OMGEKEERD Hindernissen en problemen verstoren je operatie. De problemen lijken
misschien klein, maar je gezondheid en je visie worden er door aangetast. Geef aandacht aan wat je gevoel je influistert. Voortdurende vermoeidheid verzwakt je.

ONGEBONDEN De dagelijkse beslommeringen belemmeren het zicht op het hoofddoel. Je ziet door de bomen het bos niet meer. Bekijk je motieven nog eens goed: moet
je doorvechten of een andere tactiek kiezen?

TIEN *van* VUUR
BURDENS

TIEN *van* VUUR

LASTEN

DIMMI
Waardoor word je neergedrukt?

EEN ENORM KANON WORDT OPGEHESEN
DOOR EEN KRAAN

ACHTERGROND Dit grote kanon, dat wordt opgehesen, is een van Leonardo's technische tekeningen voor Ludovico Sforza. Mannen krioelen als mieren in dit vernietigende wapenarsenaal.

ZIELSCODE Je kunt verantwoordelijkheden en verplichtingen niet naast je neer leggen als je afspraken hebt gemaakt. Het is verstandig de onvoorziene kosten van een overeenstemming goed af te wegen opdat de ziel niet te zwaar wordt belast en gaat afwijken van het pad naar de bestemming. Zorg dat je opnieuw kunt onderhandelen.

RECHTOP Je draagt zware lasten en de deadline is wurgend. Verplichtingen en verwachtingen wegen zwaar en je draagt zware verantwoordelijkheden. Door je trots heb je te veel hooi op je vork genomen.

OMGEKEERD Delegeer je verplichtingen of probeer er vanaf te komen. Het resultaat is al je moeite niet waard. Het kan tijd zijn om verder te gaan of in te krimpen. Als je wordt aangevallen, moet je je reputatie verdedigen en rechtvaardigen.

ONGEBONDEN Je bent achtergelaten met een zware taak op je schouders, of iemand heeft jou ermee belast. Je wordt terneergedrukt door een gevoel dat je het niet aan kunt. Deze taken hebben niets te maken met je waarde en je natuurlijke aanleg.

SCHILDKNAAP van VUUR

SCHILDKNAAP
van VUUR

DIMMI
Waardoor ontbrandt je enthousiasme of passie?

STUDIE VAN SINT JACOBUS DE OUDERE VOOR
HET LAATSTE AVONDMAAL

ACHTERGROND De discipel Jacobus was getuige van de transfiguratie van Christus. Hij en zijn broer Johannes werden 'zonen van de donder' genoemd, omdat ze hemels vuur wilden afroepen over de Samaritanen die de boodschap van Christus negeerden.

ZIELSCODE De brandende hartstocht van de ziel begeleidt elke stap op het zich ontvouwende pad naar de bestemming. Als deze passie ontbrandt, worden de noodzakelijke verbindingen gelegd tussen wens en vervulling. Pas op dat je in je idealisme geen anderen verwondt met het vuur van je passie.

RECHTOP Je hebt het enthousiasme om je droom achterna te gaan. Je openheid, vindingrijkheid en betrouwbaarheid ontmoeten tegenstand. Een gevoel voor avontuur fungeert als katalysator voor verandering. Er is nieuws dat een nieuwe weg opent.

OMGEKEERD Je voelt te weinig enthousiasme en levenslust. Onverantwoordelijke en onvolwassen acties leveren risico's op. Besluiteloosheid en instabiliteit doen je aarzelen. Neem roddel met een korreltje zout.

ONGEBONDEN Je wordt opgeschrikt door schokkend nieuws. Jij of anderen hebben misdadig gehandeld en zijn gewaarschuwd. Het is kinderachtig om je te verstoppen en je wonden te likken. Analyseer de zaken beter en leer van je fouten.

RIDDER *van* VUUR

DIMMI
Wanneer moet je ondernemend zijn?

STUDIE VOOR EEN TRIOMFBOOG

ACHTERGROND Deze geplande triomfboog was bedoeld om de inname van Milaan door Gian Giacomo Trivulzio, die het Franse leger leidde, te vieren. De boog is nooit gebouwd.

ZIELSCODE Een avontuurlijke geest maakt het licht manifest. De onvoorspelbaarheid van het pad hindert de toortsdrager niet die op de tekens van de bestemming let. De energie van de bedrieger helpt en bemoedigt diegenen die treuzelen op de wegen naar het nieuwe land voor hen, terwijl hij hun overstap naar het onbekende bewaakt en vergemakkelijkt.

RECHTOP Je bent een avonturier zonder angst die in het diepe springt. Je begint meer zaken dan je waar kunt maken. Zoek naar revolutionaire manieren om problemen op te lossen. Ga verder of zoek een nieuwe plek.

OMGEKEERD Ongeduld en roekeloosheid veroorzaken scheuren en scheidingen. Je gloeit van rebellie, verliest bijna je zelfbeheersing. Probeer de zaken iets rustiger aan te pakken, zodat men je niet beschouwt als een bullebak of een oplichter.

ONGEBONDEN Je hebt ervoor gekozen het avontuur niet uit de weg te gaan; tot nu toe voelde dat misschien vreemd. Gebruik deze mogelijkheid om de plek in te nemen die voor je klaarstaat en leef niet langer in ballingschap.

DAME *van* VUUR

DAME *van* VUUR

DIMMI
Hoe kun je je passie op een praktische manier gebruiken?

STUDIE VOOR HET VERLOREN GEGANE SCHILDERIJ, LEDA EN DE ZWAAN

ACHTERGROND Hierop zijn de gecompliceerde vlechten van Italiaanse prostituees te zien. Deze tekening kan La Cremona voorstellen, de maîtresse van Giacomo Alfei in Milaan. Ze hoorde bij de entourage van Leonardo in 1509. Het is niet bekend of ze zijn maîtresse was of alleen model.

ZIELSCODE Als zelfvertrouwen wordt ontstoken, gaat de ziel stralen. Als dit licht anderen verwarmt met oprechte vriendschap, word je een moeder van licht en verzeker je je van gezelschap op het pad naar de bestemming en verlicht je de ongemakken van de gast. Gepassioneerde overtuigingen gaan samen met bevalligheid en brengen energie, vastbeslotenheid en stabiliteit om de grillen van het leven aan te kunnen.

RECHTOP Je bezit passie, warmte en liefde en je wilt alles vanuit het middelpunt overzien en regelen. Je bent ijverig en van goede wil en je kunt het je veroorloven om aardig te zijn. Je beschikt over flink wat ondernemingslust.

OMGEKEERD Je bent te energiek, je passie is te hevig. De noodzaak om te controleren, dramatiseren of confronteren put anderen uit. De toestand wordt explosief door jaloezie.

ONGEBONDEN Je onafhankelijkheid wordt aangetast door een plichtsgevoel. Doordat je je gedwongen voelt anderen te helpen of verzorgen, kom je in de schaduw terecht. Iemand wil dat je op je plek blijft, maar het is tijd je rechten op te eisen.

HEER *van* VUUR

HEER *van* VUUR

DIMMI
Op welke manier zijn je moed en edelmoedigheid nodig?

STUDIE VAN SINT BARTHOLOMEUS VOOR HET LAATSTE AVONDMAAL

ACHTERGROND Als Christus tijdens het laatste avondmaal de woorden 'Eén van jullie zal me verraden' uit, leunt Bartholomeus geschrokken voorover, maar aan de bezorgdheid op zijn intelligente gezicht kunnen we zien dat de woorden niet op hem slaan.

ZIELSCODE Edelmoedigheid verheft de ziel, geeft waardigheid en moed om het pad naar de bestemming helemaal te onderzoeken. Zelfrespect en eerlijkheid houden het bereikte in stand, maar word niet egoïstisch of hooghartig. Als het welwillende licht dat je uitstraalt trots, waardigheid en zelfrespect aanmoedigt in de harten van diegenen die afhankelijk van je zijn, ben je een vader van het licht.

RECHTOP Sterke, toegewijde oprechtheid verleent zelfverzekerdheid aan alles wat zich ontwikkelt. Je kunt als creatieve ondernemer of mentor fungeren en je veroorloven edelmoedig te zijn of hulp te bieden aan de minder gelukkigen om je heen.

OMGEKEERD Alleenheerschappij en dogmatiek kunnen leiden tot zelfingenomenheid of verlies van waardigheid. Mensen beschouwen je als een voorbeeld, en ze zijn teleurgesteld. Delegeer wat van je taken; het zal je positie niet verzwakken.

ONGEBONDEN Je verzoent je met iemand voor wie je bang bent om zo de controle niet te verliezen. Dit ongemakkelijk spel van tiran en slachtoffer leidt slechts tot zwakheid en verder misbruik. Gebruik je creativiteit om uit deze dienende rol te ontsnappen.

AAS van WATER
WATER

AAS *van* WATER

WATER

DIMMI
Waar werpt de stroming zijn vruchten af en waar niet?

WATER DAT IN EEN HOLTE VALT

ACHTERGROND Leonardo werd door water gefascineerd; hij fungeerde als opzichter van waterwegen. Hij noteerde dat 'Het water in de rivier dat je aanraakt, is het laatste dat voorbijkwam en het eerste van wat nog komt.'

ZIELSCODE Het vermogen om de stroom van het pad naar de bestemming te volgen, verleent de ziel een gevoel van vervulling en geborgenheid. Liefde zegent alles wat je onderneemt, als je de stroom vindt die je voortdrijft. Een toestand van reflectie voedt je dromen nog meer en maakt je ontvankelijk voor intuïtieve boodschappen.

RECHTOP Overvloed en vruchtbaarheid zijn mogelijk. Je wordt vergezeld door schoonheid en plezier. Je wordt gevoed door esthetische harmonie. Liefde vernieuwt alles. Vrijgevigheid alom.

OMGEKEERD Door naar binnen gericht te zijn om de bron van plezier en harmonie te vinden, word je egocentrisch. De toegang naar diepe intuïtie is geblokkeerd. Je voelt je versleten, steriel en wankel. Stap weer in de stroom met een edelmoediger geest door het ritme van de stroom te vinden.

ONGEBONDEN Door je emoties af te sluiten, word je bang voor schoonheid, maar niemand laat zich voor de gek houden door je hautaine houding. Zoek de voedende werking van schoonheid en leer opnieuw lief te hebben.

TWEE *van* WATER

VERENIGING

DIMMI
Wat brengt eenheid of wisselwerking?

EEN ANATOMISCHE DOORSNEDE VAN EEN MAN
EN EEN VROUW TIJDENS DE COÏTUS

ACHTERGROND Leonardo schrijft: 'Een man wil weten of een vrouw open staat voor zijn verlangens. Als hij meent dat het verlangen wederzijds is, doet hij zijn verzoek en brengt zijn verlangen tot uitvoering.'

ZIELSCODE Vereniging met een andere ziel versterkt de wil om te leven en brengt harmonie. Als verschillen opzij worden gezet in korte momenten van vereniging, wordt een gevoel van vrede en eenheid met het universum ervaren. Microkosmos en macrokosmos komen samen op zulke heilige momenten van eenheid.

RECHTOP Je treft wisselwerking aan in vriendschap of passie in een relatie. De ontmoeting van harten en geesten maken liefde niet alleen mogelijk maar ook productief. Twee komen samen om lief te hebben. Bij samensmelting heersen harmonie en vrede.

OMGEKEERD De verschillen tussen jou en een vriend of partner doen afbreuk aan de relatie. Er ontstaan misverstanden; scheiding en vervreemding liggen op de loer. Gedwarsboomde verlangens brengen moeilijkheden, ruzies of separatie.

ONGEBONDEN Je hebt je teruggetrokken of je bent te passief geweest, waardoor je de verkeerde signalen afgaf. Meer wisselwerking kan vriendschap verdiepen en intimiteit scheppen in je relatie. Leg meer nadruk op de overeenkomsten dan op de verschillen.

DRIE *van* WATER

VERBINDING

DIMMI
Wat komt samen?

HET LICHT VAN PLANETEN KOMT SAMEN

ACHTERGROND Leonardo's studies van optiek, lichtbreking en astronomie komen samen in dit diagram en laten zien hoe het licht van twee lichtgevende en twee ondoorzichtige lichamen samenkomen en piramides van licht vormen.

ZIELSCODE Het samenkomen van gelijkgestemden of het samenvallen van gunstige omstandigheden bemoedigen de ziel. De opluchting van gedeelde ideeën met gelijkgestemden brengen je pad naar de bestemming duidelijker in beeld. De vreugde als dingen samenvallen, maakt het leven de moeite waard. Genezing en troost komen voort uit samenwerking en vereniging en bieden oplossingen en geluk.

RECHTOP Er is genezing en er zijn oplossingen. Verbanden werken goed en vrienden komen samen. Moeilijkheden verdwijnen. Je bent gezegend met blije toevalligheden, serendipiteit en samenkomsten van verwante geesten.

OMGEKEERD Overdaad en verspreiding veroorzaken vertraging en breuken, of je hebt zoveel sociale verplichtingen dat je geen tijd hebt voor rust. Het is moeilijk mensen bijeen te brengen of samenwerking is niet mogelijk.

ONGEBONDEN Je mengt je niet tussen je groepsgenoten of je past niet in de draaimolen. Uitsluiting uit het collectief is moeilijk. Je bent veranderd en je kunt niet genieten van oude pleziertjes. Zoek nieuwe vrienden die je belangstelling delen.

VIER *van* WATER

TELEURSTELLING

DIMMI
Waar zijn de verlangens groter dan de verwachtingen?

GIETVORM VOOR HET SFORZA-PAARD

ACHTERGROND Leonardo probeerde heel ambitieus een gietvorm te maken voor het grootste metalen standbeeld ooit voor zijn broodheer, Ludovico Sforza. Door gebrek aan technische kennis werd het geen succes: 'We weten allemaal dat fouten makkelijker te herkennen zijn in het werk van anderen. Als we kritiek hebben op fouten van anderen, kunnen we grotere fouten van onszelf ontkennen.'

ZIELSCODE Het vermogen fouten te erkennen die gemaakt zijn, helpt om de bestemming van de ziel te heroverwegen als deze onvruchtbare wegen is ingeslagen. Trek je zonder schande terug als het oude pad wegvalt en let op nieuwe wegwijzers.

RECHTOP Er is geen motivatie meer. Teleurstelling en vermoeidheid maken elke ervaring tot een bittere. Er is het gevoel dat de tijd stilstaat of dat je uitsluitend opportunistisch bezig bent. Overdenk je plannen opnieuw of herstel van de illusie waar je verbeelding je naartoe heeft geleid.

OMGEKEERD Er komen nieuwe mogelijkheden uit onverwachte hoek. Nieuwe verbanden en vrienden halen je uit een periode van stilstand. De ontevredenheid die je ervaart, is de beroering van creatieve verandering.

ONGEBONDEN Je zit te broeden op mislukkingen, of gevangen in een fantasiewereld. Oude ervaringen kleuren alles en houden je gevangen. Laat die oude troep los.

VIJF *van* WATER

ONTVOUWING

DIMMI
Welke patronen veroorzaken het huidige verlies?
Welke nieuwe ontwerpen maken de weg vrij?
MECHANISME OM EEN VEER GELIJKMATIG TE MAKEN

VIJF *van* WATER
ONTVOUWING

ACHTERGROND Dit is een van de vele technische tekeningen waarmee Leonardo impuls, beweging en kracht onderzoekt. 'Ik vraag me af op welk punt in de cirkelbeweging de oorzaak in werking treedt die het in beweging zet.'

ZIELSCODE Verlies van impuls gebeurt, als het pad van de ziel wordt versperd door oude verbanden en affiniteiten. Oude schulden en kwesties van voorouders moeten worden opgelost voordat je het pad naar je bestemming kunt vervolgen. Wat je ervaart als persoonlijke melancholie, kan een collectief voorouderlijk lijden zijn dat aandacht vraagt.

RECHTOP Je wordt plotseling in de steek gelaten en spijt plaatst je tijdelijk in het verleden. Vriendschappen en relaties hebben een wankele basis of zijn zonder echte liefde. Plannen kunnen niet doorgaan, maar beschouw de overgebleven mogelijkheden.

OMGEKEERD Na een verlies keert de hoop terug en stelt plezierige beloften in het vooruitzicht. Reünies zijn een voorbode oude overeenkomsten te verstevigen of kloven te overbruggen. Je vind iets nieuws om je best voor te doen.

ONGEBONDEN Door je angst voor een verborgen gebrek, iets wat je hebt geërfd, blijf je hangen tussen afzondering en samengaan met degenen die je liefhebt. Of ben je misschien de enige overlevende van een verloren zaak? Evalueer de angsten of verwantschappen waardoor je wordt overschaduwd en zoek duidelijkheid.

ZES *van* WATER

GEHEUGEN

DIMMI
Hoe plaveit het verleden de weg naar de toekomst?

STUDIE VAN EEN EENHOORN DIE ZIJN HOORN
LAAT ZAKKEN OM TE DRINKEN

ACHTERGROND Leonardo raadt de kunstenaar aan altijd een notitieboek bij zich te hebben en nooit schetsen uit te wissen, 'want de vormen en plekken van voorwerpen zijn zodanig dat het geheugen ze niet kan bevatten zonder deze hulpmiddelen'.

ZIELSCODE De wegwijzers van het geheugen helpen de ziel bij het oproepen van ervaringen uit vorige levens. Met deze wetenschap is de route waarlangs je bent gekomen naar dit ogenblik zonder schaamte of moeilijkheden, maar ze kan een gids zijn op het bestemde pad om de gave van je ziel te vervullen.

RECHTOP Herinneringen versterken de band met dingen van vroeger. Plekken uit je jeugd, oude liefdes, verbanden uit het verleden roepen naar je. Verlangen fungeert als aansporing om groei te bevorderen of om in het verleden te blijven steken.

OMGEKEERD Het verleden blijft achter en wordt herboren als de toekomst. Er dienen zich mogelijkheden aan, nieuwe vergezichten aan de horizon. Oude manieren kunnen worden vervangen door nieuwe die door je ervaringen worden aangereikt.

ONGEBONDEN Er is een sterke neiging terug te keren naar gebeurtenissen uit het verleden om schaamte, spijt of achteruitgang opnieuw te beleven. Je zakt weg in het verleden en klampt je vast aan wrakhout. Maak nieuwe afwegingen en leef in het heden.

ZEVEN van WATER
ILLUSIE
ZEVEN van WATER
ILLUSIE

ZEVEN *van* WATER

ILLUSIE

DIMMI
Welk verhaal heb je rond deze zaak verzonnen?

STUDIE VOOR EEN HOND DIE OMGEKEERD EEN VLEERMUIS WORDT

ACHTERGROND Leonardo schrijft: 'Hebben we geen afbeeldingen gezien die zo op de werkelijkheid lijken dat de illusie mensen en beesten voor de gek houdt?' Hij vond het vermogen van de kunstenaar om de kijker te misleiden een goddelijke vaardigheid, die echter wel met integriteit moet worden toegepast.

ZIELSCODE Onderscheidingsvermogen brengt het licht dat de ziel helpt bij de tocht naar haar bestemming. Het is essentieel onderscheid te kunnen maken tussen werkelijkheid en illusie, zodat je niet van de weg wordt afgeleid. Het is niet alles goud wat er blinkt en je kunt niet al je dromen veranderen in werkelijkheid. Wat de verbeelding ook schept, het wordt reëler naarmate je er meer aandacht aan schenkt.

RECHTOP Je blik wordt vertroebeld door illusies en de wens om dromen uit te laten komen. Dromen komen alleen uit als ze substantie en energie bevatten. Volg je dromen met creativiteit, maar veranker ze in het alledaagse leven voor je erop vertrouwt.

OMGEKEERD Een heldere, resolute visie laten je wensen in vervulling gaan. Intelligente keuzen zullen je helpen bij beslissingen. Haal de mist van illusies weg.

ONGEBONDEN Mensen delen je inzicht niet. Je houdt jezelf voor de gek en je bent op gevaarlijk terrein beland. Kom tot je positieven.

ACHT *van* WATER

TRANSPORT

DIMMI
Hoe kan je plan worden verbeterd?

PLAN VOOR EEN AUTO

ACHTERGROND Leonardo's theoretische begrip van de verbrandingsmotor onthulde hem niet hoe die zou kunnen worden toegepast in zijn eerste ontwerp voor een auto. Maar: 'Als hun verbeelding verwezenlijkt was, zouden mensen in bed blijven liggen'.

ZIELSCODE Aanpassing en heroriëntatie helpen de ziel haar bestemming te blijven zoeken. Wat je hebt bedacht, werkt niet altijd en het zou verspilde moeite zijn door te gaan, als je weet dat je droom niet uitkomt. Als je ziel volwassen wordt, verliezen vroegere wensen en hoopvolle verwachtingen hun aantrekkelijkheid. Je wordt aangespoord om dieper en verder te zoeken.

RECHTOP Volwassen herwaarderingen zorgen dat je je oude plannen laat varen. Iets werkt niet naar tevredenheid en je verspilt alleen maar tijd en energie als je niet stopt. Graaf dieper, zoek verder.

OMGEKEERD Iets wat je lang geleden bent begonnen, begint nu vruchten af te werpen. Oude schulden en verplichtingen worden nagekomen. Je positie is weer hersteld en je wordt geaccepteerd. Vier het!

ONGEBONDEN Een doelloos zoeken naar geluk maakt je onstabiel. Vervreemding of verlating houdt je in een staat van ontevredenheid. Ontsnapping uit intimiteit of toegewijdheid maakt een pelgrim van je, die niet voor het altaar wil verschijnen.

NEGEN *van* WATER
IN DE LUCHT

DIMMI
Wat is je hartenwens?

EEN VLIEGENDE MAN

ACHTERGROND Vliegen was Leonardo's grootste wens. 'Een man met vleugels van voldoende formaat zou de luchtweerstand moeten kunnen overwinnen en het luchtruim veroveren door zichzelf op te tillen.' Zijn geheime plan om te vliegen vanaf de berg Ceceri heeft misschien nooit bestaan.

ZIELSCODE Vervulling van de wensen van het hart geeft de ziel voldoening. Deze vervulling laat je genieten van het zich ontvouwende pad naar de bestemming. Onthoud wel dat materieel succes incidenteel is en niet de beloning voor het werk van de ziel, want deze kan niet in winst worden uitgedrukt.

RECHTOP Wensen, plannen en verbanden kunnen succesvol worden bereikt. Je kunt genieten van een gevoel van welbehagen, overvloed en plezier. Pas op voor zelfingenomenheid of zelfgenoegzaamheid als de tijd van plezier voorbij is.

OMGEKEERD Verborgen fouten komen aan het licht en veranderen alles. Er zit een enorme fout in je plannen, wensen en relaties. Wat je in het verleden hebt bereikt, is geen garantie voor succes. Kijk de getijden en stromingen na voordat je verder gaat.

ONGEBONDEN Dat je wensen een noodlanding hebben gemaakt, houdt niet in dat ze op een dag niet zullen uitvliegen. Een verspilde jeugd of een neiging tot zelfingenomenheid kunnen je eenzaam maken, zelfs tussen vrienden. Een eenvoudige levensstijl kan je helpen.

TIEN *van* WATER

GEZIN

DIMMI
Wat keert terug naar huis?

SCHETS VAN DE HEILIGE FAMILIE

ACHTERGROND In deze studie voor de Maagd en St Anna, leunt Christus verrukt naar beneden om een lam aan te raken. Hierbij bevestigt hij zijn eigen bestemming als lam van God en laat hij zich zien als één met de mensen.

ZIELSCODE De emotionele bevrediging van het thuiskomen reflecteert de diepste wens van de ziel voor hereniging en het eind van de reis. Hoewel het pad naar de bestemming nog geheel moet worden verkend, is het goed te rusten bij en gewaardeerd te worden door je familie of het hart van je gemeenschap. Het is eervol voor de zoeker om naar de plek te komen waar zijn hart ligt.

RECHTOP De veiligheid van thuis en je geboorteland geeft je vrede en geborgenheid. Harmonie in je omgeving of een duidelijke reputatie brengen geluk. Een gast wordt thuis verwelkomd en er is een officiële ontvangst of een onderscheiding.

OMGEKEERD De thuiskomst wordt vertraagd of het plan gaat niet door. Verstoringen en onverenigbaarheden zijn tekenen van weerstand tegen je vestigingsplannen. De gemeenschap verklaart je vogelvrij en je merkt dat je familie weinig geduld met je heeft.

ONGEBONDEN Je wilt terugkeren naar huis en laten zien hoe goed je hebt geboerd, maar er is weinig om te laten zien dus blijf je weg. Laat je niet door de opvattingen en kleingeestigheid van anderen weerhouden; je hoeft niet altijd de zondebok te blijven.

SCHILDKNAAP *van* WATER

IN DE LUCHT

DIMMI
Wat heeft jouw ondersteuning nodig?

SALAI

SCHILDKNAAP *van* WATER

ACHTERGROND Gian Giacomo Caprotti, met de bijnaam Salai (duiveltje), kwam in 1490 bij Leonardo in dienst als model en algemeen assistent. Salai was eerst een kwajongen die zijn meester bestal, maar werd later een trouwe dienaar.

ZIELSCODE Toegewijdheid aan het pad van de ziel brengt je veilig naar het hart van je bestemming. Als je harmonie en tederheid kunt bieden aan degenen om je heen, vertedert dat de harten van anderen. Als dienaar van de liefde is het jouw taak verlangen op te wekken en zo vruchtbare paden van de verbeelding te ontsluiten.

RECHTOP Je bent toegewijd, betrouwbaar en sympathiek. Je bent dienstbaar. Zet jezelf met toewijding aan de studie of onderzoek. Het is goed om iemand te steunen of diens vertrouweling te zijn. Wees niet te zwaar op de hand als je een relatie begint.

OMGEKEERD Je bent iets te charmant en onecht, je bent te veel bezig met niet wezenlijke uiterlijkheden. Je bent modebewust en houdt te veel rekening met groepsdwang. Je verbergt je egoïsme achter een laagje romantiek.

ONGEBONDEN Kwetsbaarheid zorgt dat je weifelachtig wordt en bang voor liefde. Onrealistische verwachtingen en naïviteit sluiten je in een droom. Fantasieën, romantische denkbeelden van denkbeeldige vrienden zijn belangrijker voor je dan het echte leven.

RIDDER *van* WATER

RIDDER *van* WATER

DIMMI
Wat voel je hierbij?

SCHETS VOOR EEN FEESTKOSTUUM

ACHTERGROND Deze zorgvuldig aangeklede ridder is door Leonardo gecreëerd voor het gemaskerde bal van de Hertog van Milaan. Aan de strikken en de afwezigheid van een harnas is goed te zien dat het hier eerder gaat om liefde dan om het theater van de oorlog.

ZIELSCODE Emotionele bevrediging is belangrijk voedsel voor de ziel. Door diep in de wateren van de geest te duiken, ontdek je belangrijke aanwijzingen voor de opbouw van de ziel. Het pad naar de bestemming ontrolt zich als het hart openstaat. Als hoeder van de liefde nodig je het ontwaakte verlangen uit tot intimiteit en vervulling.

RECHTOP Je emotionele houding opent alle deuren en maakt je aantrekkelijk. Idealen en visioenen bloeien. Vriendelijkheid en geduld kunnen vrienden of geliefden helpen om ontvankelijk of intiem te worden. Je krijgt aanbiedingen en uitnodigingen.

OMGEKEERD Je misbruikt je kunst om te misleiden en voordeel te halen. Je wordt gemotiveerd door oneerlijkheid of seksuele manipulatie. Je slaapt met iedereen of je verliest jezelf in een narcistisch zelfbeeld.

ONGEBONDEN Je bent ondergedompeld in een ziekelijke of mistige romantiek. Idealistische dromen over 'echte liefde' weerhouden je duurzame relaties op te bouwen. Verwerp de illusies van de liefde en omarm de realiteit.

DAME *van* WATER

DAME *van* WATER

DIMMI
Wat vertelt compassie jou?

STUDIE VAN HET HOOFD VAN EEN JONGE VROUW

ACHTERGROND Deze bedachtzame studie, met haar nederig gebogen nek, zou erop kunnen duiden dat Leonardo van plan was een Madonna te portretteren die zich over haar kind buigt.

ZIELSCODE Gevoeligheid is de hoffelijkheid van de ziel die je in staat stelt de weg naar je bestemming te ervaren. Als je subtiele nuances kunt aanvoelen, behoedt dat je voor emotionele misverstanden. Je moet psychische of intuïtieve boodschappen onderzoeken op hun werkelijkheidswaarde, anders kunnen ze je de verkeerde kant op sturen. Als je medeleven toont, word je een liefhebbende moeder voor degenen om je heen.

RECHTOP Je bent geliefd vanwege je emotionele vaardigheden en gevoeligheid; daardoor word je een vertrouweling. Liefde voor schoonheid creëert een harmonieuze omgeving. Je moet visionaire benaderingen kiezen. Iemand heeft troost of goede raad nodig.

OMGEKEERD Je emotionele onvolwassenheid en inconsequentie zenden de verkeerde signalen uit. Pas op dat je geen emotionele chantage hanteert. Je hebt de neiging te gaan fantaseren of je geniet te veel van bewondering. Pas op voor verslavingen.

ONGEBONDEN Door overgevoeligheid of psychische weerstand word je wantrouwig en vijandig. Je bent omringd door wereldvreemdheid, zodat je een prooi wordt voor de projecties van mensen. Breng meer tijd door in de wereld van alledag.

HEER *van* WATER

HEER *van* WATER

DIMMI
Waar is de emotionele bevrediging?

STUDIE VAN EEN MAN MET EEN BAARD

ACHTERGROND Dit portret werd gemaakt in 1513, toen Leonardo met zijn gevolg naar Rome ging om in dienst te treden van de nogal dromerige hoveling Giuliano de Medici, van wie dit een romantische gelijkenis kan zijn.

ZIELSCODE Door onvoorwaardelijke liefde wordt de ziel aangemoedigd zich zonder angst te ontwikkelen. Grootmoedige opvattingen maken het pad naar de bestemming breder en laten dankbaarheid achter in een juist geleefd leven. Denk niet aan jezelf bij je vrijgevigheid, want degene die liefheeft zonder gedachte aan een beloning heeft geen prijs nodig. Als je aan anderen denkt, word je een liefhebbende vader voor degenen om je heen.

RECHTOP Je bent attent en wijs, eerzaam en eerlijk, en je liberale denkbeelden maken je voorbeeld van sympathieke integriteit. Door je creativiteit en gevoeligheid breng je vrede en harmonie. Gelijkgestemde en artistieke activiteiten zijn vruchtbaar.

OMGEKEERD Je bent eerloos en wilt altijd voordeeltjes halen, of je probeert harteloos zaken uit te buiten. Je verbergt eigenbelang achter sentimentaliteit. Emotioneel ben je onbereikbaar of ontwijkend. Je houdt je niet aan afspraken.

ONGEBONDEN Je doet net alsof en verliest je in zelfbedachte fantasieën. Houd jezelf in stand; niet die façade. Afhankelijkheid kan je tot steun zijn en een te beschermende houding houdt groei tegen. Als je liefde durft te tonen, zal de wereld je niet uitbuiten.

AAS van AARDE
AARDE

AAS *van* AARDE

AARDE

DIMMI
Wat is van waarde?

STUDIE VAN EEN LANDSCHAP

ACHTERGROND Leonardo was een van de eerste Italiaanse schilders die zich met land-schap bezighield. 'Ga naar het platteland met zijn bergen en dalen... waarvan je alleen met je eigen ogen kunt genieten... luister niet naar de beschrijving van een dichter.'

ZIELSCODE Fortuinlijkheid is een magneet die voorspoed aantrekt. Bezit is een gele-genheid voor de ziel verantwoordelijkheid te leren en lichtvoetig te leren leven. Het pad naar de bestemming ontvouwt zich op een gelukkige manier als materieel bezit samengaat met praktische en spirituele wijsheid. Het pad van aarde zorgt dat je grip houdt op het *prima materia* van het leven.

RECHTOP Je bezit praktische wijsheid, fortuin en voorspoed. Een nieuw vergezicht brengt geluk en welbehagen. Gebruik deze gelegenheid om werkelijke waarden te zo-ken. Je krijgt een cadeau en je geniet tevreden van wat je materieel hebt bereikt.

OMGEKEERD Je hebt geluk, maar welstand en winst brengen niet altijd het plezier waarop je hoopte – hooguit meer verantwoordelijkheden. Materiële goederen kunnen echte waarden niet vervangen. Zorg dat de glans van goud je niet hebzuchtig maakt.

ONGEBONDEN Houd je niet in omdat iets te mooi is om waar te kunnen zijn. Beschouw opnieuw hoe je de waarde van iets inschat, zonder sentiment. Je ziel kan niet worden gekocht of verkocht.

TWEE *van* AARDE

POLARITEIT

DIMMI

Waar krijg je tegenstrijdige gevoelens door?

DIAGRAM VAN EEN KRUKAS

ACHTERGROND Deze krukas beweegt naar voren en naar achteren door een touw en een wiel aan beide uiteinden van de schacht. 'Niets dat bewegen kan is krachtiger... dan degene die het in beweging brengt.'

ZIELSCODE De principes van polariteit zorgen dat de ziel de balans kan bewaren tussen extremen. Duisternis en licht, omhoog en omlaag, in en uit, zijn ritmes die elkaar opvolgen. Het pad naar de bestemming is onderworpen aan de regels van polariteit die, net als licht en schaduw, maken dat dingen er goed of slecht uitzien als je door het leven reist. Als je de balans vindt, kun je doorreizen zonder nodeloze uitgelatenheid of depressies.

RECHTOP Keuzen brengen ambivalentie. Je vindt het moeilijk om te beginnen of je aan te passen aan wisselende omstandigheden. Veelvoudigheid van bureaucratie verwarren zaken als je probeert op gang te komen. Je geluk slingert heen en weer.

OMGEKEERD Kijk naar beide kanten van de markt om in te schatten waar je staat. Het is niet moeilijk voor je om twee ideeën te hanteren, want je kunt goed omgaan met ingewikkeldheden. Een dubbele boekhouding kan een probleem vormen.

ONGEBONDEN Complexiteit wordt je heerser. Als je alle kanten probeert in te dekken, dien je geen enkele kant meer. Doe een stapje terug en bezie wat kan worden gedelegeerd. Stap uit de tredmolen.

DRIE *van* AARDE
PERSPECTIEF

PERSPECTIEF

DIMMI
Welk standpunt helpt of verwart een zaak juist?

EEN KUNSTENAAR MET PERSPECTIVISCHE
ZOEKER EN WERELDBOL

ACHTERGROND Met deze 'perspectograaf' leerden kunstenaars de eigenschappen van het perspectief kennen. Leonardo schreef: 'Perspectief is de teugel en het roer van het schilderen… niets minder dan een grondige kennis van hoe het oog functioneert.'

ZIELSCODE De ziel heeft gevoel voor perspectief nodig om de kaart van de bestemming te kunnen verfijnen. Door de waarnemingen van verschillende situaties te evalueren, wint de ziel aan waardigheid en perfectie. Doordat je de aan jou toegewezen taak kunt uitvoeren en de belofte van je bestemming inlost, verkrijg je respect en aanzien.

RECHTOP Door gevoel voor perspectief krijg je vaardigheid en kunstgevoel. Je verdiende reputatie snelt je vooruit en opent wegen naar meer opdrachten. Door bescherming en ondersteuning kun je je plannen uitvoeren.

OMGEKEERD Middelmatigheid is de vijand. Wat je maakt is te gewoon en doet geen recht aan de originaliteit van je plannen. Slordigheid of verspilling van je materiaal verknoeien je inspanningen en beschadigen je goede naam.

ONGEBONDEN Je kunt niet scherpstellen of je bent niet in staat iets te verbeteren. Zoek een andere mening, een ander uitgangspunt. Je kunt het, je bent efficiënt genoeg. Oude stemmen die het tegendeel beweren, moet het zwijgen worden opgelegd.

VIER *van* AARDE

SAMENKOMST

DIMMI
Wie controleert wat?

SCHETS VOOR HET LAATSTE AVONDMAAL

ACHTERGROND Het laatste avondmaal onderzoekt de capaciteit van de discipelen vriendschap te delen temidden van de intriges van Judas – de penningmeester van de twaalf – om zijn meester te verraden voor geldelijk gewin.

ZIELSCODE Het beheer over middelen is een verantwoordelijk taak. Wie de goederen verdeelt, moet rechtvaardig zijn. Het is een vergissing van de ziel als zij te zeer gehecht raakt aan de middelen, waarmee macht, geld en een goede positie kan worden verkregen. In plaats van de stroom van het leven te volgen, raakt je bestemming verstrikt in de controle over je territorium en de manipulatie van anderen voor geldelijk gewin.

RECHTOP Jij hebt de leiding. Je behoudt je positie door gulheid. Je verovert een plek met omkoping en giften, en je liefde voor geld en macht maskeren gemeenheid of gierigheid. Leer te delen zonder iets terug te verwachten.

OMGEKEERD Laat de controle los. Er zijn hindernissen waardoor je niet meer kunt winnen. Hierdoor word je aangemoedigd om te gaan speculeren of te veel uit te geven. Prestige en macht verkrijg je niet zomaar. Leer om eenvoudiger te leven.

ONGEBONDEN Je neemt een verdedigende houding aan. Je houdt je vast aan connecties of bezittingen die niet zo waardevol meer zijn, en je wilt dat anderen je beschermen – maar tegen een prijs. Iemand anders heeft je in zijn macht.

VIJF van AARDE
BEHOEFTE

VIJF *van* AARDE

BEHOEFTE

DIMMI
Hoe vormt behoefte je bestemming?

JALOEZIE BERIJDT EEN SKELET

ACHTERGROND Iedereen wordt gedreven door angst voor armoede: 'Een kwaadaardig, monsterachtig ding zal zich zo onder de mensen verspreiden dat, in hun paniek om het te vermijden, ze alleen maar de onbegrensde kracht ervan zullen vergroten.' Dit beeld laat de verbinding tussen behoefte en wens zien.

ZIELSCODE Behoefte is de gemeenschappelijke basis voor de training van de ziel, ze biedt realistische lessen over het zichtbaar maken van je bestemming. Vanuit het oogpunt van behoefte zie je alles met inzicht, van de hoogdravende plannen waarvan nooit echt iets terecht komt tot de basisbehoeften waar het leven niet zonder kan. Door behoefte word je doelgericht en waardeer je wat je hebt, je verspilt minder en benut je bronnen beter.

RECHTOP Door problemen, instabiliteit en verlies voel je je behoeftig en arm. Bronnen zijn schaars — het aanbod is kleiner dan de vraag. Materiële hindernissen zorgen voor problemen. Waardeer opnieuw je aangeboren gaven bij ziekte en gezondheid.

OMGEKEERD Er is een weg door de huidige tijd, en het getij van tegenslag begint te keren. Als je diep graaft in je mogelijkheden, zul je inventieve oplossingen vinden.

ONGEBONDEN Misschien heeft verkwisting geleid tot ongeluk, of heeft scheiding onderdeel uitgemaakt van overleving. Keer terug uit je ballingschap en begin opnieuw.

ZES *van* AARDE

GEVEN

DIMMI
Wat kun je geven?

EEN STUDIE VAN DE HAND VAN DE MAAGD

ACHTERGROND Leonardo schrijft: 'De acties van handen en armen moeten worden verbonden aan de bedoeling van de geest die ze beweegt. Wie begrip toont zal de leiding van zijn bedoelingen volgen met alle bewegingen van zijn handen.' Zinloze gebaren zien er leeg uit en zijn zonder betekenis; door de samensmelting van lichaam en geest krijgen gebaren een betekenis.

ZIELSCODE Vrijgevigheid komt van een hart dat in harmonie is met de omstandigheden. Degenen die zeker zijn van hun bestemming zijn in staat te geven zonder verwachtingen. De schatkamer van je ziel kan niet worden weggegeven of verspild voor zinloze doeleinden. Betaalmiddelen voorzien je van bronnen en de mogelijkheid met verantwoordelijkheden om te gaan zonder verraad of hebzucht.

RECHTOP Vrijgevigheid, ondersteuning en vriendelijkheid of weldoeners geven een zeker gevoel. Spontane giften en hulp komen onverwachts. Vriendelijkheid en uitwisseling vormen een echte tegenwaarde.

OMGEKEERD Bronnen zijn minder ruim dan je dacht. Je investering levert minder op dan je verwachtte. Je rekende op te veel gulheid. Word geen opportunist uit jaloezie.

ONGEBONDEN Het is dom je eigen behoeften te ontkennen. Als je niets vraagt, krijg je ook niets. Het is tijd de hulp te vragen die je nodig hebt.

ZEVEN van AARDE
UITHOUDINGSVERMOGEN

DIMMI
Waar moet je je uithoudingsvermogen gebruiken?

SCHETS VAN EEN PAARD

ACHTERGROND Dit paard is weer een schets voor het Sforza-monument, waaraan Leonardo lang werkte. 'De energie in elk levend wezen komt van een vitale vonk van de ziel, en alle belangrijke krachten komen van de zon zelf.'

ZIELSCODE Uithoudingsvermogen helpt de ziel het pad te vervolgen met goede wil. Je stopt niet onderweg en je rust niet uit bij het zoeken naar manieren om je bestemming manifest te maken. Uithoudingsvermogen blijft overeind door een natuurlijk ritme tussen werken en rusten en niet door altijd maar door te gaan en af en toe even uit te rusten. Evalueer je werk af en toe, om de kwaliteit hoog te houden.

RECHTOP Inventiviteit en hard werken hebben geleid tot groei. Blijvend succes wordt gevoed door doorwerken; er is nog altijd inspanning, uithoudingsvermogen en geduld nodig. Doe wat rustiger aan als de taak die je onder handen hebt, lang of moeizaam is.

OMGEKEERD Zorgen over verliezen, tekorten of diefstal verstoren je rust. Houd alles goed in de gaten, vooral als anderen die taak hebben. Let erop dat investeringen iets opleveren.

ONGEBONDEN Het kan moeilijk zijn het werk van je handen te bezitten en erkenning te vragen, maar ga door. Angst voor succes kan het je moeilijk maken. Neem goede beslissingen over waar en met wie je werkt.

ACHT van AARDE

ARBEID

DIMMI
Waar zijn je vaardigheden nodig?

SCHETSEN VAN WERKENDE MANNEN

ACHTERGROND Leonardo onderzocht de veelzijdigheid van de menselijke gestalte door werkende mannen gade te slaan: 'Ik zal Arbeid weergeven door trekken, duwen, dragen, stoppen, ondersteunen en andere activiteiten af te beelden', schrijft hij.

ZIELSCODE Door de geest te blijven oefenen, werkt je ziel aan het Grote Werk, wat niets anders is dan het samenbrengen van de microkosmos en de macrokosmos. Als dat is bereikt, wordt het pad naar de bestemming zowel op aarde als in de hemel manifest. Trots zijn op je vak betekent dat je de beste materialen en gereedschappen kiest, en de vaardigheden onderhoudt waarmee je hen hanteert.

RECHTOP Door je vaardigheden te verbeteren, word je efficiënter. Het is de moeite waard om voortdurend te blijven oefenen. Ga doelbewust en zonder valsheid om met de dingen. Je werk en je woord zijn je belofte.

OMGEKEERD Je werk verliest zich in details, of te hard werken eist zijn tol. Door te weinig ambitie word je lui en ongeïnteresseerd. Je loopt de kantjes er vanaf en laat het werk aan anderen over, of je teert op hun vaardigheden en middelen.

ONGEBONDEN Gebrek aan een doel en te weinig vaardigheden maken je lui. Door je desillusie over het werk doe je zinloze karweitjes. Keer terug naar wat je het liefste doet, en bekijk hoe je jezelf opnieuw kunt trainen.

NEGEN *van* AARDE

WORTELS

DIMMI

Waar heb je recht op? Welke houding moet je hier aannemen?

BOMEN DOPEN HUN WORTELS IN EEN STROOM

ACHTERGROND In zijn *Treatise on Painting* schreef Leonardo: 'De jaarringen bepalen de leeftijd van een boom, terwijl de grotere en de kleinere ringen de natte of droge jaren tijdens de groei aangeven.' De blootgelegde wortels van deze bomen laten zien waar de boom zijn kracht vandaan haalt.

ZIELSCODE Volwassenheid van de ziel wordt alleen bereikt als de ervaring van het leven diepe wortels heeft die sterk genoeg zijn om je te ondersteunen. Door deze wortels kun je het pad naar de bestemming met vertrouwen bewandelen, en pal staan op je rechtmatige plaats. Door stabiliteit kun je je interesses verder cultiveren.

RECHTOP Je bereikt een punt waarop je iets hebt bereikt door discretie, zorgvuldigheid en planning, en na zo'n lange worsteling kun je tevreden genieten. Dit is een welvarende tijd, of een tijd om aan hobby's te besteden.

OMGEKEERD Veiligheid en luxe kunnen een val vormen waarin je kunt wegzinken met valse verwachtingen. Zorg dat je je hebt ingedekt tegen bedreigingen, diefstal, afpersing of verraad van anderen.

ONGEBONDEN Je bent blijven knokken, terwijl je best had kunnen stoppen. Je bent al een poosje over het hoogste punt heen: stop met klimmen en kijk eens achterom. Geniet van het uitzicht en wees blij.

TIEN *van* AARDE

FUNDAMENT

DIMMI

Wat heb je geërfd? Hoe ben je rijk geworden?

PLATTEGROND EN GEVEL VAN EEN BASILIEK

ACHTERGROND Dit plan is eerder gebaseerd op klassieke symmetrie dan op de middeleeuwse kathedraal met schepen. Leonardo noteert dat 'vanwege de stabiliteit moet de diepte van de funderingen in... tempels en andere openbare gebouwen in verhouding zijn met het gewicht dat erop zal steunen.'

ZIELSCODE De ziel moet worden geplaatst op een stevig fundament en goed worden onderhouden. In deze fundering wordt voorzien door de rijke voorraden van eerdere generaties, die de erfenis en achtergrond vormen voor de ziel om zijn bestemming te vervullen. Een stabiele omgeving brengt zekerheid en laat wijsheid groeien.

RECHTOP Je wordt omringd door de zekerheid van familie en thuis. Laat je verrijken en leiden door de genetische of financiële erfenis van je voorouders. De toekomst wordt beschermd door ontvangen wijsheid en voorouderlijke scherpzinnigheid.

OMGEKEERD Je keert je familie en afkomst de rug toe en weigert je erfenis om je eigen pad te kiezen. Je zult tegen de problemen moeten kunnen die dit met zich meebrengt en je riskeert onzekerheid door deze weg op te gaan.

ONGEBONDEN Je erfenis zit vol met conflicterende zaken. De wereld lijkt onveilig, je werk wordt overschaduwd, er zijn relaties en zaken waar je niet in slaagt vanwege oude verbanden. Er is voorouderlijke genezing nodig.

SCHILDKNAAP *van* AARDE

SCHILDKNAAP *van* AARDE

DIMMI
Hoe is dit nuttig?

STUDIE VAN ST PHILIP

ACHTERGROND Bij het voeden van de vijfduizend door Christus, informeerde de apostel Philip hoe al die mensen moesten worden gevoed. Hier kijkt hij vol vertrouwen en verlangen naar zijn meester, en vraagt zich af hoe iemand hem ooit zou kunnen verraden.

ZIELSCODE Geduldige vasthoudendheid brengt de ziel stevig op het pad naar de bestemming. Je volgt de tekenen en gaat door, je leert terwijl je vordert. Je verzamelt informatie en schift het nut ervan, maar je deelt het ook met anderen. Als je de werkelijke waarde van anderen herkent, ben je een trouwe dienaar van de wijsheid.

RECHTOP Je bent een harde werker; pragmatisch, realistisch en trouw. Het werk vordert gestaag door dagelijkse arbeid. Nu is het juiste moment voor onderzoek, het leren van een nieuwe vaardigheid of om flink te studeren. Er is waarschijnlijk een boodschap onderweg over contracten of zakelijke dingen.

OMGEKEERD Je verliest de greep op praktische zaken. Het vanzelfsprekende is voor jouw niet vanzelfsprekend. Wat je ziet wordt gekleurd door rebellie en reactie. Misschien doe je te veel tegelijk. Pas op dat je niet stopt met leren of vervalt in lethargie.

ONGEBONDEN Je verliest je aandacht en doelgerichtheid. Door te luisteren naar de informatie in de cellen van je lichaam, zul je wijsheid vinden en stevig worden verankerd. Schenk aandacht aan de echte kwestie van hoe je effectief kunt leven.

RIDDER *van* AARDE

RIDDER *van* AARDE

DIMMI
Wat moet goed worden onderbouwd?

SCHETS VAN EEN RUITER OP EEN STEIGEREND PAARD

ACHTERGROND Leonardo schrijft: 'Mensen en dieren raken meer vermoeid als ze heuvelopwaarts gaan dan wanneer ze afdalen. Op weg naar boven dragen ze hun eigen gewicht mee, op weg naar beneden laten ze zich gaan.'

ZIELSCODE Betrouwbaarheid en geduld laten de ziel het pad naar de bestemming volgen. Aandacht voor details helpt bij het formuleren van blijvende resultaten en bij het creëren van een methode waarop je kunt vertrouwen. Dienstbaarheid is je plicht. Als je aandacht hebt voor degenen die afhankelijk van je zijn, ben je een praktische hoeder van wijsheid die de dingen veilig maakt.

RECHTOP Je bent ordelijk, betrouwbaar en een doorzetter. Je realistische en praktische oog schat risico's goed in. Omdat je in alles betrouwbaar bent, vertrouwen mensen op je. Uit jouw bescherming komen veiligheid en vertrouwen voort.

OMGEKEERD Je kunt traag en onbenaderbaar zijn, vastbesloten met rust te worden gelaten. Een materialistische instelling zorgt dat je chagrijnig of zonder verbeelding wordt. Je bent onverschillig, egocentrisch, conservatief en laat mensen in de steek.

ONGEBONDEN Angst voor verlating en verwaarlozing houden je buiten de cirkel. Beter verloren dan weer te worden verlaten, denk je, maar als je er niets aan doet, zul je niet eens merken hoezeer je wordt gewaardeerd.

DAME *van* AARDE

DIMMI

Wat is genoeg of niet genoeg?

STUDIE VOOR EEN ENGEL

ACHTERGROND Deze studie van een jong meisje, die werd gemaakt in 1483, was het model voor een engel in Leonardo's schilderij *Madonna van de rotsen,* waarin hij de figuur aseksueel maakte in overeenstemming met het onderwerp.

ZIELSCODE Een gevoel van welzijn komt eerder voort uit een ruimhartige ziel dan uit rijkdom. Je hebt het vermogen de dingen overal veilig en comfortabel te maken in allerlei omstandigheden. Het pad naar jouw bestemming gaat niet alleen om je eigen comfort. Als je je bronnen ruimhartig deelt, ben je een wijze moeder voor degenen om je heen.

RECHTOP Je benadert het leven op een ruime manier. Je deelt je liefde voor comfort en je gastvrijheid met diegenen die stabiliteit nodig hebben. Je steun is volledig. De zaken lopen soepel en voorspoed en rijkdom aan middelen overheersen.

OMGEKEERD Bezitterigheid is een teken dat je degenen die dicht bij je staan, wantrouwt. Je bent slecht georganiseerd of juist te georganiseerd en niet op je gemak. Het oppotten of verspillen van middelen maakt je leven verwarder of juist leger.

ONGEBONDEN Je bent bang voor schaarste of je voelt je onmachtig tot handelen. Angst voor onzekerheid verdringt je plezier in het leven. Je kunt het gevoel van hulpeloosheid kwijtraken als je je laat steunen door alles wat je hebt bereikt.

125

HEER *van* AARDE

DIMMI
Hoe kun je voor stabiliteit zorgen?

PORTRET VAN EEN MAN

ACHTERGROND Deze indrukwekkende tekening kan van Gian Giacomo Trivulzio zijn, de 'condottiere' en voormalige vijand van Ludovico Sforza. Leonardo kreeg de opdracht een monumentale tombe voor hem te maken.

ZIELSCODE De zorg voor het land en je gemeenschap is een verantwoordelijkheid die de ziel stabiliteit verleent. Als de gemeenschapsgoederen veilig zijn, kun je het pad naar de bestemming vervolgen in de wetenschap dat je je plicht hebt gedaan. Je hebt gezorgd voor goede richtlijnen. Als je je familie beschermt of zekerheid biedt aan degenen die afhankelijk van je zijn, ben je een wijze vader.

RECHTOP Leiderschap en zakelijk inzicht maken een welgestelde weldoener van je. Pragmatisme en uithoudingsvermogen zorgen voor een stevig fundament. Een diepe liefde voor het land en het behoud van traditionele waarden creëren stabiliteit en kwaliteit.

OMGEKEERD Je kunt manipulatief en corrupt zijn. Door je hebzucht en uitbuiting verdringt materialisme het respect voor het land en de mensen. Schraapzucht en een bezitterige houding hebben je in hun greep.

ONGEBONDEN Een diep gevoel dat je wordt ondergewaardeerd en neergehaald door een autoritaire figuur houd je klein. Ga jezelf stap voor stap aanmoedigen, en bevrijd je uit deze instabiele, oude houding.

5
DE ZETEL VAN DE ZIEL

TEKSTEN

'Het vermogen om te oordelen dat aan de mens is gegeven, wordt versneld door de manier waarop de vijf zintuigen zijn verenigd in het ontvankelijke orgaan dat bekend staat onder de naam 'sensus communis'... dat de zetel is van de ziel. ...Het verstand wacht op de ziel, en niet de ziel op het verstand, want het is de voorganger van de ziel.'

— LEONARDO DA VINCI

BEGINNEN

Hoewel je *Het Da Vinci Enigma Tarot* kunt gebruiken om tarotleggingen te doen op de manier die je wellicht al kent, worden hier diverse nieuwe leggingen aangeboden die je helpen bij het ontdekken van de unieke wijsheid van deze kaarten. De eerste drie leggingen – Man van Vitruvius, Oorzaak en gevolg, en De Goddelijke Verhouding – volgen allemaal de standaardmethode, waarbij elke kaart op een vaste positie wordt gelegd. De legging Bestemming vraagt echter om een hogere graad van vaardigheid en flexibiliteit, zoals je zult ontdekken. Dus probeer deze pas als je denkt dat je er aan toe bent.

Als tarot helemaal nieuw voor je is, kan het een goed idee zijn eerst gewoon een paar kaarten te trekken om een idee te krijgen hoe de kaarten en jij en je vragen op elkaar inwerken. Begin eens met een paar van de volgende basispatronen die door Leonardo zijn aangeraden. Bedenk een duidelijk vraag die je aan de kaarten wilt stellen.

LICHT EN SCHADUW 'Licht verdrijft duisternis. Schaduw schermt het licht af.' Verdeel de stapel kaarten in tweeën en draai de bovenste kaart van beide stapeltjes om. De eerste stelt het licht voor dat over je kwestie schijnt, de tweede is de schaduw of de onbekende factoren die het in zich draagt. Beschouw de vraag in relatie tot de betekenissen. Beantwoord de dimmi-vraag voor elke kaart.

DE KERSENBOOM 'De toppen van de bovenste takken van de kersenboom vormen een piramide.' Verdeel de stapel in drieën, draai de drie bovenste kaarten om en leg ze in een driehoek. De kaart aan de top geeft weer waar je naar streeft, de linkerkaart vertelt wat dat tegenhoudt en de rechterkaart geeft weer wat behulpzaam is.

DE VIER SEIZOENEN VAN DE SCHILDER 'Een student die zijn meester niet overtreft, doet het niet goed.' Schud de kaarten en trek er vier. De eerste is *Beginner*, of de basis van de vraag; de tweede is *Leerling*, of wat je erover moet leren; de derde is *Reiziger*, of wat je moet ondernemen; de vierde is *Meester*, of wat je erbij inspireert.

DE BRON 'Ga naar de school van de natuur in plaats van naar kopieën van de natuur; ga naar de fontein; niet naar een pot water.' Begin met de bovenste kaart van de stapel en draai kaarten om totdat je een macrokosmoskaart aantreft. Neem deze kaart als je *Bron* en de drie daaropvolgende kaarten als je *Waterpotten*. De Bron is het water dat je voedt; kaart 2 laat zien wat bedorven is en moet worden verwijderd; kaart 3 laat zien wat erdoor moet worden gemengd; kaart 4 is waar je water heen vloeit.

BEDOELINGEN VAN DE ZIEL 'De twee belangrijkste doelen van de schilder zijn het weergeven van de mens en de bedoelingen van zijn ziel.' Begin weer met de bovenste kaart van de stapel en blijf kaarten omdraaien totdat je bij een hofkaart komt – je centrale kaart. Dit is een aspect van jezelf, en de kaarten die er meteen op volgen laten zien: welk gezicht je de wereld laat zien; wat je voor de wereld verbergt; het gezicht waar je je voor schaamt; en het gezicht dat je nog moet ontwikkelen. Leg deze kaarten rondom de middelste hofkaart, waarbij je bovenaan begint en met de klok mee gaat. Lees de kaarten in relatie tot de hofkaart.

DE LEGGING MAN VAN VITRUVIUS

Man van Vitruvius laat de perfecte mens zien die het punt van integratie heeft ont-

dekt tussen de microkosmos en de macrokosmos. Door deze harmonieuze balans kan hij zowel in de onderwereld als in de normale wereld wande- len en ziet hij zaken in een compleet perspectief. De afbeelding lijkt een zelfportret van Leonardo zelf. Deze legging geeft een algemeen overzicht en een goed perspectief van de kwestie.

Bepaal de vraag, schud de kaarten en leg ze op posities I tot 10, zonder te letten op het ontwerp op de achterkant van de kaarten (je kunt de volgorde van de nummering aanpassen aan je dominante hand als je links- handig bent; de afbeelding laat de posities zien voor een rechtshandige). De bete- kenissen van de posities van kaarten zijn als volgt:

1 HART Wat je gevoelens en instincten ervaren over de kwestie.

2 DOMINANTE HAND Hoe je normaal gesproken met deze zaak omgaat.

3 ONDERSTEUNENDE HAND Op welke instinctieve vaardigheden je een beroep kunt doen om dit te veranderen.

4 RECHTERVOET Hoe je de weg hebt gebaand om dit te veroorzaken.

5 LINKERVOET Hoe je kunt vermijden om opnieuw tegen zulke dingen aan te lopen.

6 WAT BINNEN JE BEREIK LIGT Wat je kunt bereiken als je er naar streeft.

7 WAT MOET VERANDEREN Wat je moet veranderen, weggeven of verwijderen om je doel te bereiken.

8 WAAR JE HEEN WORDT GELEID Laat de mogelijkheden zien die je nu zullen leiden.

9 HOE JE DE VOLGENDE STAP KUNT ZETTEN Hoe je de gift van dit moment kunt gebruiken om vooruit te komen.

10 HOOFD Laat je de wijsheid zien van nieuwe motivatie.

Raadpleeg de betekenissen rechtop of omgekeerd, in overeenstemming met hoe de kaarten liggen. Als je vragen hebt of moeilijkheden met betrekking tot de kaarten, bekijk dan de 'ongebonden' betekenis van die bepaalde kaart voor een beter begrip.

VOORBEELD

Diane is een kunstenares wier werk wordt verkocht via kleine galeries. Ze is niet tevreden over de manier waarop de galeriehouder haar representeert, maar ze durft er niets over te zeggen. Ze weet dat haar onvermogen zichzelf te verkopen en promoten moeilijkheden veroorzaakt, dus ze vraagt: *'Hoe kan ik in deze situatie voor mezelf opkomen?'*

Na het stellen van de vraag en het schudden van de kaarten, bekijkt ze de gidskaarten, die bestaan uit *Schildknaap van aarde, Vier van Water/Teleurstelling* en *Heer van Water.* Door naar de afbeeldingen te kijken, krijgt ze direct het gevoel van 'ja – dit ben ik en dit is mijn situatie'. De onschuldige schildknaap, de teleurstelling in een onderneming en de knappe, maar onbenaderbare man die staat voor de galeriehouder, ondersteunen de lezing. Ze voegt de kaarten weer samen en legt de volgende kaarten:

1 *Drie van Water/Verbinding* Diep vanbinnen voelt Diane dat een verzoening met de galeriehouder mogelijk is, want hoewel ze maar één enkele kunstenares is, draagt haar werk bij aan de winsten die de galerie draaiende houden.

2 *XI Ervaring* Als ze het alleen moest uitzoeken, zou ze misschien blijven zitten met haar gevoelens van onredelijkheid en niets zeggen en zich alleen maar ongelukkiger voelen, maar de kaart Ervaring vertelt haar dat ze haar integriteit moet bewaren.

3 *IX Kluizenaar* De kluizenaar moedigt haar aan bij haarzelf te rade te gaan in de stilte van haar hart om af te wegen wat hier werkelijk gebeurt.

4 *Twee van Aarde/Polariteit* (omgekeerd) Deze kaart laat zien dat haar gevoel van eerlijkheid haar in situaties brengt waarin ze beide kanten van een contract negeert. Ze raakt in de problemen door mensen met status direct te vertrouwen.

5 *XVIII Bevruchting* Door op dubbelhartigheid te letten, misschien zelfs te verwachten dat niet iedereen haar met respect zal behandelen, kan Diane voorkomen dat ze zichzelf weer in een nadelige situatie manoeuvreert.

6 *XVII Wegwijzer* (omgekeerd) Diane moet begrijpen dat lichamelijke aantrekkingskracht niets zegt over iemands bedoelingen. Door charismatische mensen te volgen, ontkent ze haar eigen innerlijke gids.

7 *Acht van Aarde/Arbeid* Wat moet veranderen, is het eigendom van haar eigen werk en de inkomsten eruit opeisen. Hoewel ze de mening van anderen waardeert en afhankelijk is van het publiek, zal iemand anders meer van haar werk profiteren dan zijzelf als ze er niets aan doet.

8 *XV Pijn & Plezier* Ze heeft nu de mogelijkheid te vechten tegen de angst die haar in dit patroon gevangen houdt. Haar aantrekking/afstoting van de galeriehouder moet een normalere relatie tussen kunstenaar en agent worden, anders blijft ze eindeloos gefascineerd door machtige mensen die misbruik maken van hun positie.

9 *Aas van Vuur* Deze kaart geeft Diane het groene licht het advies op te volgen. Door na te denken over de creatieve impuls van haar werk, kan ze de confrontatie met de galeriehouder aan. Ook als ze faalt, wint ze zelfrespect doordat ze zichzelf en haar kunst heeft verdedigd.

10 *VIII Kracht* Haar nieuwste motivatie is kracht en de noodzaak haar zelfrespect te verdedigen. Haar passie voor het leven zal haar door deze confrontatie heen slepen.

OVERZICHT In deze lezing van tien kaarten zijn zes kaarten macrokosmische kaarten die laten zien dat Diane worstelt met een aantal zeer fundamentele en belangrijke kwesties die haar leven vorm zullen geven. De bestemming van haar ziel als kunstenaar is het waard te worden verdedigd. Er zijn een Waterkaart, een Vuurkaart en twee Aardekaarten, maar geen Luchtkaart. Dit betekent dat ze haar lot in eigen handen moet nemen.

DE LEGGING OORZAAK EN GEVOLG

Deze legging is geïnspireerd door Leonardo's observatie van de fundamentele principes van oorzaak en gevolg. Hij schrijft: 'Wat een prachtige, buitengewone noodzakelijkheid! Door een superieure wetmatigheid ligt aan alle gevolgen een oorzaak ten grondslag. Door zijn hoogste en onherroepbare regels gehoorzaamt elke natuurlijke actie op de snelst mogelijke manier.'

    Gebruik deze legging om te zien hoe oorzakelijkheid een rol speelt in je leven; je zult worden geleid naar een dieper begrip en grotere waakzaamheid bij alles wat je doet en bedenkt. Stel je vraag samen, schud de kaarten en leg ze op de posities I – 10. De betekenis is als volgt:

I Voorouders/Afkomst/Wortels: hier is de kwestie met het verleden verbonden.

2 Wat je uit het verleden meebrengt over deze kwestie.

3 De oorzaak van de kwestie in het hier en nu.

4 De kwestie zelf.

5 Het effect van de kwestie op alles om je heen.

6 Wat je over deze kwestie meeneemt naar de toekomst.

7 Nakomelingen/Vrucht/Uitkomst: hoe de kwestie de toekomst beïnvloedt.

8 Hoop. Je positieve houding. Zelfhulp

9 Angsten. Je negatieve houding. Zelfdestructie.

10 De waarheid over de kwestie: dit geeft je de belangrijkste reden om te veranderen.

Als je de kaarten leest, let dan op de verbindingen tussen de kaarten 3 en 8, 5 en 9, 4 en 10, en I en 7.

VOORBEELD

Gerald zou worden geopereerd en hij was natuurlijk zenuwachtig. Hij vroeg: *'Laat me zien wat ik moet weten over mijn operatie en wat er daarna gebeurt.'* Hij koos geen gidskaarten.

1 *Tien van Water/Familie* Dit onthulde dat de kernoorzaak van Geralds ziekte lag in het feit dat hij had geprobeerd jarenlang zijn familie een veilige omgeving te bieden. Gerald had heel hard gewerkt om die veiligheid te kunnen bieden.

2 *Overstroming* Gerald had last van een gevoel van minderwaardigheid en gezichtsverlies doordat hij niet langer de kostwinner was. Als de operatie zou slagen, zou hij echter weer kunnen werken. Op dit moment kon hij daar nog niet aan denken.

3 *Schildknaap van Water* (omgekeerd) Dit liet zien dat Gerald bang was voor het onbekende. Door koppigheid had hij niet naar verstandige adviezen geluisterd die de escalatie van zijn ziekte hadden kunnen helpen voorkomen.

4 *XII Heengaan* Gevangen in een soort schijndood, kon Gerald niet meer terug. De kaart Heengaan onthulde de kern van de zaak. Er moest iets worden opgeofferd of hij zou voor altijd blijven steken, noch levend, noch dood. De operatie zelf was een enorme hindernis voor hem; die was al een paar keer uitgesteld.

5 *Schildknaap van Lucht* Deze kaart laat Gerald zien, die iets aan zijn crisis probeert te doen. Zijn verdedigende houding en zijn neiging situaties te omzeilen, helpen hem hier niet. Later zou hij waakzamer zijn en minder aarzelen. Uit deze kaart spreekt ook een verbinding met de chirurg die de zaak zou oplossen door zijn vakmanschap.

6 *Drie van Aarde/Perspectief* Dit onthulde dat Gerald in de toekomst een beter gevoel voor perspectief zou hanteren, en dingen zou verbeteren. Omdat dit de kaart was van de ambachtsman, voelde het alsof hij zijn vaardigheden opnieuw kon inzetten.

7 *Twee van Aarde/Polariteit* Het effect op iedereen om hem heen zou kunnen zijn dat ze zich meer bewust worden van de noodzaak tot een betere balans in de relaties binnen de familie, ze moesten minder afhankelijk worden van hem.

8 *Vrouw van Water* Dit onthulde de hoop van Gerald. Zijn verlangen naar emotionele wisselwerking en troost was groot op dit moment. Hij gaf toe dat hij naar oude zwart-witfilms keek om zijn zelfvertrouwen op te krikken.

9 *IX Kluizenaar* Geralds grootste angst was om alleen te worden gelaten. Hij kon heel slecht alleen zijn of zichzelf onderzoeken.

10 *II Raadsel* De uitkomst van de operatie stond niet vast en Gerald had twijfels over zo'n mystieke kaart op deze plek. Ik wees erop dat deze kaart de vroedvrouw was van de kwestie op positie nummer 4, waar hij nu vastzat. Deze operatie was een mogelijkheid door te dringen in een diepere Gerald die zijn innerlijke dromen kon waarmaken en de wijsheid kon waarderen die hij tijdens zijn leven had verzameld.

OVERZICHT De kaarten 1 en 7 raken aan relaties binnen zijn familie. De kaarten 2 en 6 laten een progressie zien van geschokt en gemangeld zijn naar meer helderheid en controle. Kaarten 3 en 5 lieten een emotionele onvolwassenheid zien die had geleid tot de zaak bij kaart 4. De kaarten 8 en 3 laten een oude romanticus zien die alleen maar geliefd wil worden. Kaarten 9 en 5 spraken van een angstige man die werd geleid naar een veel volwassener kijk op het leven. De ziekte en de operatie maakten deel uit van een veel grotere ontwikkeling; iets wat de kaarten 4 en 10 laten zien. De operatie was in zoverre een succes dat de kijk van Gerald op zijn leven er totaal door veranderde.

DE LEGGING GODDELIJKE VERHOUDING

Leonardo was een student van de wiskundige Luca Pacioli, die in zijn boek *The Divine Proportion* ernaar streefde om te bewijzen dat de gulden snede overal in de natuur te zien is: In de spiraalvormige curve van de Nautilusschelp; in de groeipatronen van planten; in de structuur van DNA; zelfs in gebouwen, zoals het Parthenon en in het zonnestelsel zelf. In zijn schilderijen gebruikte Leonardo voortdurend deze verhoudingen, die hij in de natuur opmerkte bij de groei van bomen. Dit diagram (rechts) laat een serie in elkaar passende gouden driehoeken zien. Deze reeks van steeds kleiner wordende driehoeken is gebaseerd op de lijn van de gulden snede, die creëert wat 'het oog van God' wordt genoemd, en de basis vormt van deze legging. De legging van de Goddelijke Verhouding is afgeleid van de gulden snede en de Fibonacci-sequentie (zelf een nauwe

A

B   C

verwant van π), waarbij elk getal de som is van de voorgaande twee (0, 1, 1, 2, 3, 5, 8, 13, 21, 34, 55...). Dit is een uitstekende legging om de creatieve curve van een project of een idee te checken. De kaarten worden in een spiraalvorm neergelegd.

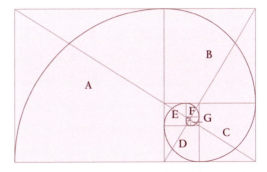

Schud en coupeer eerst je kaarten, waarbij je zoals gewoonlijk op de gidskaarten let. Tel vervolgens, met de stapel in je hand vanaf de bovenste kaart en leg de eerste, twee-de, derde, vijfde, achtste, dertiende en eenentwintigste kaart neer in de positie van de gouden driehoek, van A tot G. Dit is de betekenis van de positie van de kaarten:

A BEVRUCHTING Wat is de kern van je plan?

B SAMENKOMST Wat moet je ervoor bijeenbrengen?

C GROEI Wat zorgt ervoor dat het groeit?

D RUST Wat voor wijsheid verwerf je als het rust?

E HERWAARDERING Wat moet worden bijgesteld?

F AFWERKING Wat is er nodig om het af te maken?

G MANIFESTATIE Wat heb je gemaakt?

VOORBEELD

Melanie had van een grote firma de opdracht gekregen om een appartement op te knappen. Het was een prestigieuze opdracht en er was een strakke deadline. Haar vragen waren: 'Hoe vorder ik in dit project? Zal ik de deadline halen? De gidskaarten waren *Vier van Aarde/Samenkomst, IX Kluizenaar* en *Drie van Lucht/Pogingen* (omgekeerd). Zij beschreven haar problemen: veeleisende opdrachtgevers, de noodzaak om voort-durend door te gaan en angst om niet op tijd klaar te zijn.

A *Negen van Lucht/Gevaar* Het werk ging gebukt onder veel angst, dat vertroebelde Melanie's oordeel.

135

B *X Tijd* Tijd hield haar het meeste bezig. Ze wilde zo veel mogelijk tijd hebben om een goed eindresultaat neer te zetten.

C *Twee van Aarde/Polariteit* Een beetje geven en nemen zou fijn zijn, maar in plaats daarvan moest Melanie goede en beslissende keuzen maken.

D *IV Keizer* (omgekeerd) Het wachten op leveranciers en decorateurs gaf haar een ongeduldig en krachteloos gevoel. Controle over haar autoriteit was de wijsheid die ze nodig had. De rest hing af van het samenkomen van dingen.

E *Aas van Water* In het eindstadium had Melanie het overzicht verloren over de schoonheid van wat ze probeerde te maken. Door terug te keren naar het gevoel van harmonie zou ze het voor elkaar kunnen krijgen.

F *XXI Wereld* Door erop te letten hoe verrukt gasten over haar werk zouden zijn, kon ze haar doel in het oog houden.

G *XX Vernieuwing* (omgekeerd) Deze kaart sprak van vertragingen of heroverwegingen van haar opdrachtgevers op het laatste moment. Het bleek dat ze de opdracht op tijd af had, maar dat ze een lening moest afsluiten omdat haar opdrachtgevers naar tekortkomingen gingen zoeken en haar te laat betaalden.

OVERZICHT Het geforceerde tempo van Melanie was tekenend voor de manier waarop het bedrijf waarvoor ze werkte, zaken deed. Ze was uit haar creatieve enclave gestapt in een competitieve, veeleisende wereld zonder beloften, waar haar waarden omver werden gelopen. Als je Melanie was, welke metaforen zouden dan bij je opkomen als je naar de afbeeldingen op de kaarten kijkt, denkend aan de kwestie? Bedenk dat de visuele aspecten even belangrijk zijn als de tekst. Kijk naar de vier macrokosmoskaarten en lees de zielscode: welke hulp krijgt ze hier aangeboden?

DE LEGGING BESTEMMING

De legging Bestemming is een wat meer gevorderde legging voor de onderzoekende lezer die geïnteresseerd is in de zielscode en hoe deze zich verhoudt tot de kwestie waarover het gaat. Deze legging geeft geen betekenis aan de positie; alle kaarten worden gelezen in relatie tot de kwestie. Dat lijkt misschien ingewikkeld, maar na een paar leggingen zul je het doorkrijgen en kun je zeer krachtige antwoorden op je vragen verkrijgen. Leonardo moedigde dergelijke doordringende observaties aan: 'Stop soms, bekijk de vlekken op muren, de patronen in as of vuur, wolken of modder of wat dan ook. Daarin, als je ze goed bekijkt, kun je... landschappen aantreffen, veldslagen, figuren etc.' In de volgende stappen leer je hoe je de kaarten moet leggen.

1 Schud je vraag erin, coupeer en consulteer de gidskaarten.

2 Kies ongezien zes tot tien willekeurige kaarten. *Draai de kaarten niet om, maar leg de achterkanten naar je toe.*

3 Met de achterkant van de kaarten naar je toe, bekijk je hoeveel kaarten op elkaar aansluiten om een deel van het patroon te kunnen maken (elke groep van elkaar rakende kaarten vormt een set). De kaarten moeten duidelijk op elkaar aansluiten. Probeer eerst om patronen (polyhedra) te vormen en kijk daarna of er delen van rondelen te vormen zijn. Meestal passen er minstens zes van de tien bij elkaar, die één tot drie sets vormen, waarbij één tot vier kaarten niet worden verbonden. Door het herhalende motief van het ontwerp passen sommige kaarten bij elkaar als ze onderstebovenworden gedraaid: als dat zo is, draai ze dan. Het kan ook zijn dat een kaart met één zijkant tegen diverse andere kaarten past; je kunt dan zelf bepalen tegen welke kaart je deze aanlegt. Speel met de kaarten totdat je één of meer sets hebt (het komt niet vaak voor dat er grote delen van het patroon zijn verbonden).

4 Als je hebt nagedacht over symbolen die je zou kunnen maken, keer je de kaarten om zodat ze zichtbaar zijn (hierbij moet je oppassen dat je geen kaarten roteert, want dan kunnen kaarten die rechtop staan omgekeerd komen te liggen, en vice versa). Je keert de kaarten spiegelend, zodat de originele verbindingen niet verloren gaan *(zie rechts)*.

5 Bestudeer nu de dynamiek van de verbonden sets. Plaats de sets en de losse kaarten zo ten opzichte van elkaar dat je zélf het gevoel hebt dat het klopt. Schrijf je eerste indruk op voordat je de betekenissen opzoekt. Probeer een verhaal te vertellen over wat je ziet. Let op de verschillende 'bedrijven' in het drama van het zich ontvouwende verhaal, vooral als je twee of drie sets hebt. Het kan praktisch zijn de sets titels te geven die verband houden met je vraag of kwestie *(zie voorbeelden, bladzijden 140 – 143)*.

6 Als je begint te lezen, begin dan met uitsluitend de dimmi-vragen; dat helpt je bij het begrijpen van de antwoorden. Als je verder gaat,
lees je eerst de betekennissen van de verbonden kaarten (rechtop en omgekeerd), want
deze laten het deel van de zielscode zien, dat
het sterkst aan het werk is. Omgekeerde kaarten geven de manier weer waarop je aan het
worstelen bent om de code te ontcijferen met
je wilskracht; ze kunnen gebieden met blok-

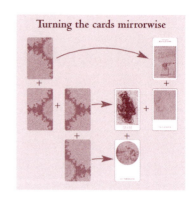

Turning the cards mirrorwise

kades bevatten. Lees vervolgens de losse kaarten: ze staan voor de versnipperde of
niet geïntegreerde delen van de zielscode waartoe je op dit moment geen sleutel
hebt. Deze oefenen wel een belangrijke invloed uit die je in ogenschouw moet
nemen. Ze laten vaak aanhoudende problemen of beperkingen zien die je je verbinding belemmeren.

7 Als je klaar bent, trek dan de volgende, niet zichtbare kaart uit de stapel om als
'brug' te fungeren tussen losse kaarten en één of meer delen van het patroon.
Consulteer de zielscode van de brugkaart, om diepere antwoorden te krijgen die
correctieve hulp bieden. Beschouw de lossen kaart(en) opnieuw in het licht van de
hulp die is geboden door de brugkaart(en). (Het voorbeeld op blz. 142 laat zien
hoe de brugkaart in de praktijk werkt).

8 Als je enige oefening hebt met het bekijken van de teksten in het licht van de
dimmi-vragen, kijk dan naar de diepere betekenissen en breng ze met elkaar in verband, waarbij je let op verhaallijnen, overeenkomsten, ontwikkelingen en andere
interne verbindingen.

Als je een symbool kunt verbinden (meestal kun je er één verbinden, en soms helemaal geen) raadpleeg dan de betekenis in de volgende tabel, dan heb je een perspectief, waarmee je een lezing kunt interpreteren. Om te beginnen zie je misschien
Dodecahedrons aan voor Icosahedrons als je kaarten probeert te verbinden, maar je

zult het verschil snel leren zien als je let op de vijfhoeken van de Dodecahedron en de driehoeken van de Icosahedron (*zie blz. 17 voor meer over de polyhedra*).

Voordat je verder leest door de interpretaties die voor de volgende voorbeelden worden gegeven, leg je de kaarten uit voor elk voorbeeld. Probeer zelf de kaarten te interpreteren voordat je de gegeven interpretatie leest. Dat is een goede manier om te leren hoe je deze legging toepast.

SAMENVATTING VAN DE REGELS VAN DE LEGGING BESTEMMING

- Alle kaarten moeten gelijk tegen elkaar aan liggen, niet verschoven of horizontaal gedraaid.
- Verbind eerst de symbolen, daarna rondelen of delen van rondelen. Teken aan welke symbolen worden verbonden.
- Kaarten kunnen 180 graden worden gedraaid (omkeringen) om de verbinding te maken.
- Verbonden sets moeten worden gespiegeld, zodat de verbonden patronen niet veranderen als de beeldkant naar boven ligt.
- Arrangeer de verbonden sets op de manier waarop je voelt dat het goed is.
- Verbonden sets geven aan wat er sterk speelt bij de kwestie.
- Omgekeerde kaarten geven aan wat geblokkeerd is.
- Losse kaarten geven zelfsaboterende factoren aan of niet geïntegreerde zielstrends.
- Begin met het beantwoorden van de dimmi-vragen van elke kaart.
- Bekijk hoe de dynamiek van je kwestie door de kaarten loopt.
- Als je vals speelt, en kaarten kiest om verbindingen te maken, krijg je een foute lezing!

VOORBEELD 1

Rob studeert natuurkunde. Tegen het eind van zijn laatste jaar krijgt hij een veelbelovende mogelijkheid te gaan werken bij een internationaal bedrijf. De uitnodiging komt via een kennis van de familie. Rob wil afstuderen maar het aanbod houdt in dat hij twee maanden voor het eindexamen begint met de baan. Zijn vraag was: *'Wat zijn de consequenties van het aanvaarden van de baan?'*

	Polyhedron	Aantal vlakken	Element	Betekenis	Bekijk je kwestie
	Hexahedron	6 vierkanten	Aarde	Stabiliteit	Pragmatisch
	Tetrahedron	4 driehoeken	Vuur	Flexibiliteit	Gepassioneerd
	Octahedron	8 driehoeken	Lucht	Penetratie	Verstandig
	Icosahedron	20 driehoeken	Water	Reflectie	Dankbaar
	Dodecahedron	12 vijfhoeken	Geest	Heelheid	Alomvattend

Gidskaarten: *Dame van Vuur • Schildknaap van Lucht • XV Pijn & Plezier*

De gidskaarten laten een situatie zien met diverse tweeslachtige emoties, een veeleisende werkgever en de noodzaak om zeer waakzaam te zijn. Robs tien kaarten bevatten één verbonden symbool, het Hexahedron, dat hem adviseert de legging pragmatisch te lezen. Door een paar kaarten te roteren, kan hij twee sets verbinden, zonder losse kaarten. Hij spiegelt de kaarten voorzichtig. Hij wordt gealarmeerd door de kaarten Gevaar en Dood in de tweede rij, maar hij schrijft de betekenis van deze kaarten op en denkt na over het patroon dat hij heeft gelegd en wat dat hem vertelt. Hij besluit de dimmi-vragen van alle kaarten te beantwoorden, en zijn eigen antwoorden toe te passen op de situatie.

Set I. Hij geeft hieraan de titel 'Dynamiek van het aanbod van een baan'.

Negen van Aarde/Wortels (omgekeerd) Waar is je rechtmatige plaats? Welke houding moet je aannemen? Rob voelt dat de baan zijn rechtmatige plaats is, maar hij weet dat hij er nog niet echt aan toe is en de omkering maakt hem voorzichtig voor deze verleidelijke val van schijnbare zekerheid.

Negen van Water/In de Lucht (omgekeerd) Wat is je liefste wens? Rob wil deze baan heel graag.

Negen van Lucht/Gevaar (omgekeerd) Waar ben je bang voor? Vecht je of vlucht je? Hij is bang de kans te laten liggen, maar ook om die te grijpen.

XIII Dood Wat houdt je tegen? Wat moet er gebeuren? Hij heeft hard moeten vechten om tot aan het eindexamen te komen, maar hij is nog niet klaar.

I Magiër Hoe verandert jouw unieke gave de wereld? Hoe houd je je vaardigheden op peil? Rob voelt dat zijn vaardigheden verschil uitmaken en wil dat graag aan de wereld laten zien.

XI Ervaring Hoe wordt integriteit door ervaring gevoed? Waar moet je onpartijdig zijn? Het wijzende meisje laat hem een onbekende toekomst zien, maar hij wil daar niet heen zonder goede basis en op zijn eigen voorwaarden.

Zeven van Vuur/Succes Wat is in jouw voordeel? Waar moet je je terugtrekken? De kaarten liggen gunstig voor hem, maar hij moet zelf beslissen.

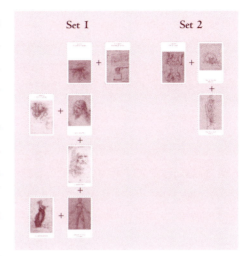

Set 2. Hij geeft hieraan de titel 'Gevolgen van acceptatie'.

Twee van Lucht/Respect (omgekeerd) Waar is de balans van respect? Met tegenzin antwoordt hij dat de baan via vrienden is aangeboden, niet vanwege zijn bekwaamheid. Hij vraagt zich af wie hem zal respecteren als hij niet voldoende gekwalificeerd is. Wat gebeurt er als die machtige vriend het bedrijf verlaat?

Zes van Water/Geheugen Hoe baant deze roep uit het verleden de weg naar de toekomst? Hij stelt zich voor hoe het zou zijn in zo'n machtige positie en wordt overspoeld door een gevoel van gerechtigheid. Misschien maakt de familieband geen deel uit van zijn levenspad.

Drie van Lucht/Beproevingen Waar treur je om? Wat is pijnlijk? Zijn overgang naar de wereld van alledag is een worsteling. Elk van deze vragen heeft hem geholpen bij het bepalen van zijn positie. Hij heeft die baan eigenlijk al vaarwel gezegd. Hij wil liever een paar jaar in de Derde Wereld werken dan het vriendje van de baas zijn in dat bedrijf.

AANTEKENINGEN OVER DE INTERPRETATIE Let op de drie omgekeerde negens in set I – allemaal kaarten die aangeven dat er iets niet af is. *XI Ervaring* en *Zeven van Vuur/Succes* zijn samengevoegd op de basislijn en geven een stevig fundament, maar de combinatie van *Negen van Lucht/Gevaar* en *XIII Dood* boven *I Magiër* suggereert dat Rob zonder de nodige ervaring niet meer is dan een tovenaar die flirt met de dood en het gevaar die roepen vanaf de middellijn.

VOORBEELD 2

Andrea's langdurige huwelijk met Paolo is in een impasse geraakt. Hun jongste kind staat op het punt het huis uit te gaan en Paolo wil het huis verkopen en verhuizen naar zijn geboortestad in Italië. Andrea wil niet vertrekken, maar haar man heeft toch alles al in gang gezet. Ze vroeg: *'Help me om deze situatie duidelijk te zien.'*

Gidskaarten: *Zeven van Aarde/Uithoudingsvermogen • Acht van Aarde/Arbeid • Heer van Aarde* (omgekeerd)

Andrea's kaarten vertellen over veel inspanning en arbeid in verband met een man die hard en manipulatief is. Van de tien kaarten die ze koos, maakt ze drie verbonden sets en één losse kaart. Ze heeft geen verbonden symbolen. Ze gaf de sets een titel nadat ze klaar was met lezen.

Set I. Achteruitgang.

Negen van Aarde/Wortels (omgekeerd) waarschuwt Andrea op te passen dat ze niet boven alles voor veiligheid kiest, door te vragen: 'Wat is je rechtmatige plek?' De kaart ligt boven *Schildknaap van Aarde* die ook aangeeft dat Andrea te vriendelijk is. *Vijf van Aarde/Behoefte* laat een sterke behoefte zien boven *Zes van Lucht/Bloei* die vaak een kaart is van reizen of verder gaan. Deze vraagt haar over haar houding en denkbeelden die – voorzover die het huwelijk betreffen – zeer behoudend en plichtsgevoelig zijn.

Set 2. Herwaardering.

De set van *Acht van Lucht/Opsluiting* en *Vier van Aarde/Bijeenkomst* is ingeklemd tussen de onfortuinlijke gebeurtenissen in de eerste set en de oplossingen van de derde set. *Acht van Lucht* onderstreept hoe ze is gebonden door denkbeelden over haar huwelijk, terwijl *Vier*

142

van Aarde haar vraagt: 'Wie controleert wat?', en haar uitdaagt voor haarzelf op te komen. Paolo gebruikt hun gezamenlijke bezit om de verhuizing te kunnen bekostigen. Hierin zit ook geld dat zij inbracht in het huwelijk.

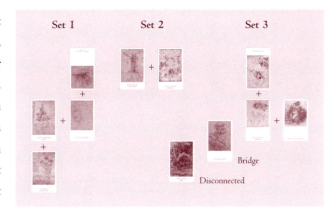

Set 3. Gevecht om de macht.

Deze set laat een nek-aan-nekrace zien tussen *Schildknaap van Vuur* (omgekeerd) en *Vijf van Vuur/Worsteling,* die een gevecht toont dat Andrea met haarzelf voert. Haar gebrek aan actie is in conflict met de noodzaak voor haarzelf op te komen. De enige uitweg is naar haar dromen te kijken en haar intuïtie te volgen voor de goede keuze. *XVIII Bevruchting* nodigt haar uit haar dromen en intuïtie te raadplegen.

Losse kaart De losse kaart *Aas van Vuur* laat een enorme kloof zien tussen haarzelf en haar enthousiasme en passie. Hoe gebruikt ze het advies van de zielscode?

Brugkaart Andrea trok *V Opperpriester* als brugkaart om haar losse *Aas van Vuur* te verbinden aan set 3, waar ze die het meest nodig dacht te hebben. Ze voelde dat ze hiervandaan de autoriteit kon vinden haar diepste gevoelens te respecteren en de kracht om haar man niet te volgen.

AANTEKENINGEN OVER DE INTERPRETATIE Twee tot drie sets van verbindingen komen vaak voor. Zie hoeveel Aardekaarten tevoorschijn komen bij deze verhuiskwestie, waaronder de gidskaarten. Wat betekent dat? Kijk hoe de losse kaarten als een smeulend vuur onder de hele lezing liggen – welke hulp laat Andrea hier liggen?

Leonardo Books

Cassirer, Ernst, Paul O. Kristeller & J. H. Randall Jr. *The Renaissance Philosophy of Man*, Chicago, University of Chicago Press, 1948

Da Vinci, Leonardo. *Codex Atanticus*, Milan, Giovanni Piumati, 1894–1904

Da Vinci, Leonardo. *The Codex Leicester: Notebook of a Genius*, ed. & trans. Michael Desmond & Carlo Pedretti, Sydney, Australia, Powerhouse Publishing, 2000

Da Vinci, Leonardo, *Codex Trivulzi*, Milan, Luca Beltrami, 1891

Da Vinci. Leonardo. *The Notebooks*, ed. & trans. Irma K. Richter, Oxford, Oxford University Press, 1998

Da Vinci, Leonardo. *Trattato della Pittura*, Vienna, H. Ludwig, 1882

Kemp, Martin. *Leonardo*, Oxford, Oxford University Press, 2004

Livio, Mario. *The Golden Ratio*, London, Headline Book Publishing, 2002

della Mirandola, Pico. *On the Dignity of Man*, trans. C. G. Wallis, Indianapolis, Bobbs Merril Educational Publishing, 1965

Nicholl, Charles. *Leonardo da Vinci: Flights of the Mind*, London, Allen Lane, 2004

Ovason, David. *The Two Children*, London, Century, 2001

Richter, J. P. *The Literary Works of Leonardo da Vinci*, Oxford, Oxford University Press, 1939

Strathern, Paul. *The Medici: Godfathers of the Renaissance*, London, Pimlico, 2005

White, Michael. *Leonardo, The First Scientist*, London, Little, Brown and Co., 2000

Tarot Books

Greer, Mary. *The Complete Book of Tarot Reversals*, Minnesota, Llewellyn Books, 2002

Greer, Mary. *Tarot for Your Self*, Franklin Lakes, New Jersey, New Page Books, 2002

Kaplan, Stuart R. *Tarot Classic*, New York, Gosset & Dunlap, 1972

Matthews, Caitlín. *The Celtic Wisdom Tarot*, Rochester, VT, Inner Traditions, 1999

Matthews, Caitlín & John. *The Arthurian Tarot*, London, Harper Collins, 1990

Pollack, Rachel. *The Forest of Souls*, Minnesota, Llewellyn Books, 2003

Pollack, Rachel. *Seventy-Eight Degrees of Wisdom*, London, Thorsons, 1997

DANKWOORDEN

Dankwoord van de auteur

Ten eerste en boven alles, hoezee voor John, die dit geweldige idee opperde en sorry dat je niet mee kon doen. Respect en zegeningen voor Rachel Pollack voor het doorgaan met tarot-symposia en voor R.J.Stewart voor de kabbalistische uitleg. Dank aan iedereen bij Eddison Sadd voor hun grenzeloze enthousiasme, deskundigheid en ondersteuning bij de totstandkoming van deze tarot. Tot slot een diepe dankbaarheid aan Leonardo voor het onthullen van de wijsheid van zijn ervaring. Alle citaten uit zijn notitieboeken zijn door mijzelf vertaald.

Illustraties

Ashmolean Museum, Oxford/Bridgeman Art Library: 102.
Biblioteca Ambrosiana, Milan: 77 (*detail*), 90, 91 (*detail*), 104, 113 (*detail*).
Biblioteca Nacional, Madrid: 100, 101, 112.
Biblioteca Reale, Turin/Alinari: 40, 82 (*detail*), 123.
Biblioteca Reale, Turin/Corbis: 26.
Bibliothèque de Institut de France, Paris/Corbis: 74, 76, 105.
Bibliothèque de Institut de France, Paris/RMN: 99 (*detail*), 120.
British Museum, London/HIP/Topham: 32.
Cabinet des Dessins, Louvre/Alinari: 109, 114.
Cabinet des Dessins, Louvre, Paris/Corbis: 62.
Cabinet des Dessins, Louvre, Paris/RMN: 38 (*detail*).
Christ Church, Oxford/Alinari: 54 (*detail*), 115.
Fitzwilliam Museum, Cambridge/Alinari: 122.
Fitzwilliam Museum, Cambridge/Corbis: 52, 70.
Galleria degli Uffizi, Florence/Corbis: 44.
Gallerie dell' Accademia, Venice/Alinari: 50, 73 (*detail*), 75, 86, 106.
Gallerie dell' Accademia, Venice/Bridgeman Art Library: 87.
Gallerie dell' Accademia, Venice/Corbis: 66.

Graphisches Sammlung Albertina, Vienna/AKG Images: 34.
Hamburger Kunsthalle/Alinari: 71.
Hyde Collection, Glen Falls, New York, 1971.71 Cartoon for Mona Lisa © 1503. Attributed to Leonardo da Vinci, Italian, 1452-1519. Charcoal and graphite, $24\frac{1}{2}$ x 20 in (622 x 508 mm). Photograph by Joseph Levy: front cover, 28.
Musée Bonnat, Bayonne/Corbis: 78.
Museum Boijmans van Beuningen, Rotterdam: 60.
National Gallery, London/Corbis: 36.
The Royal Collection © 2005 HM Queen Elizabeth II.
Photographer EZM: 24, 56 (*detail*), 69 (*detail*), 80, 94, 97, 103 (*detail*), 107, 110, 118 (*detail*), 124.
The Royal Collection, Windsor/Alinari: 30, 46, 72, 79, 89, 93, 95.
The Royal Collection, Windsor/Bridgeman Art Library: 98.
The Royal Collection, Windsor/Corbis: 42, 58, 64 (*detail*), 81, 83 (*detail*), 84, 88, 92, 96, 108, 111, 116, 117 (*detail*), 119, 121.
The Royal Collection, Windsor/Topham: 85.
Santa Maria delle Grazie a Milano/Alinari: 48.

EDDISON•SADD EDITIONS

Editorial Director	Ian Jackson	*Art Director*	Elaine Partington
Managing Editor	Tessa Monina	*Mac Ontwerper*	Malcolm Smythe
Corrector	Nikky Twyman	*Productie*	Sarah Rooney en Nick Eddison